D0716869

GOLDMANN
Lesen erleben

Jancis Robinson

Weinexperte in 24 Stunden

Von der angesehensten Weinexpertin der Welt

Aus dem Englischen
von Ursula C. Sturm

GOLDMANN

Der Verlag weist ausdrücklich darauf hin, dass im Text enthaltene externe Links vom Verlag nur bis zum Zeitpunkt der Buchveröffentlichung eingesehen werden konnten. Auf spätere Veränderungen hat der Verlag keinerlei Einfluss. Eine Haftung des Verlags für externe Links ist daher ausgeschlossen.

MIX
Papier aus verantwor-
tungsvollen Quellen
FSC® C014496
www.fsc.org

Verlagsgruppe Random House FSC N001967

 Dieses Buch ist auch als E-Book erhältlich.

1. Auflage
Deutsche Erstausgabe Juli 2017
© 2017 der deutschsprachigen Ausgabe
Wilhelm Goldmann Verlag, München,
in der Verlagsgruppe Random House GmbH,
Neumarkter Straße 28, 81673 München
Originalausgabe: © Jancis Robinson, 2016
Originaltitel: *The 24 Hour Wine Expert*
Originalverlag: Penguin Books Ltd, London
Umschlag: UNO Werbeagentur, München, nach einem Entwurf von gray318
Umschlagmotiv: FinePic®, München
Redaktion: Eckard Schuster
Satz: Satzwerk Huber, Germering
Druck und Bindung: GGP Media GmbH, Pößneck
JT · Herstellung: CB
Printed in Germany
ISBN 978-3-442-17665-6
www.goldmann-verlag.de

Besuchen Sie den Goldmann Verlag im Netz:

Inhaltsverzeichnis

Vom richtigen Umgang mit Wein 82

Warum es auf die Temperatur ankommt 82 | Wie man einen Wein auf die richtige Temperatur bringt 84 | Belüften und Dekantieren 85 | Angebrochene Flaschen 87 | Welche Weine müssen reifen? 88 | Wie man Wein lagert 90

Haltbarkeit und Trinkreife 92

Kennen Sie diese Traube? 94

Die wichtigsten Rebsorten auf einen Blick 94

Die bekanntesten weißen Rebsorten 95

Chardonnay 95 | Sauvignon Blanc 96 | Riesling 97 | Grauburgunder/Pinot Gris/Grigio 98

Die bekanntesten roten Rebsorten 99

Cabernet Sauvignon 99 | Merlot 101 | Pinot Noir 102 | Syrah/Shiraz 103 | Tempranillo 104 | Nebbiolo 105 | Sangiovese 106

Die zehn meistverbreiteten Rebsorten weltweit 107

Weinbaugebiete, die Sie kennen sollten – ein Spickzettel 108

Frankreich 108

Bordeaux 109 | Burgund 110 | Beaujolais/Mâconnais 111 | Champagne 112 | Nördliche Rhône 113 | Südliche Rhône 113 | Loire 114 | Elsass 115 | Languedoc-Roussillon 115 | Jura 116

Einleitung

Obwohl ich schon seit mehr als vierzig Jahren über Wein schreibe, lerne ich noch immer täglich etwas Neues dazu. Deshalb wundert es mich nicht, dass sich manche Menschen überfordert fühlen, wenn es um das Thema Wein geht. Aus diesem Grund habe ich mir zum Ziel gesetzt, mein Wissen mit Ihnen zu teilen und binnen 24 Stunden einen selbstbewussten Weinexperten aus Ihnen zu machen, indem ich mich auf das Wesentliche konzentriere und alles Überflüssige weglasse.

Um die in diesem Buch versammelten Informationen optimal zu nutzen, tun Sie sich am besten mit ein paar Freunden zusammen und testen gemeinsam mit ihnen möglichst viele verschiedene Weine, sei es an einem Wochenende oder im Laufe mehrerer Abende. Je mehr Vergleiche Sie anstellen, desto mehr werden Sie lernen. Das Buch, das Sie in Händen halten, enthält allerlei hilfreiche Anregungen und Aufgaben für die Verkostungen, zu denen jeder jeweils ein oder zwei Flaschen der vorgeschlagenen Weine mitbringen sollte. Denken Sie daran, auch etwas zu essen bereitzustellen – nicht nur zum Genuss und damit Sie lernen, welche Weine zu welchen Gerichten passen, sondern auch um der berauschenden Wirkung des Alkohols etwas entgegenzusetzen. Wenn Sie sich nach der Weinprobe an nichts erinnern können, wird nämlich nie in 24 Stunden ein Weinexperte aus Ihnen ...

Eine Standardflasche enthält einen Dreiviertelliter Wein – das ergibt sechs großzügig eingeschenkte, acht durchaus akzeptable Gläser Wein und bis zu zwanzig Proben. Sie können also ohne

Weiteres eine recht große Gruppe zur Degustation einladen. Und sollten Sie einmal eine Flasche nicht ganz leeren, können Sie auf Seite 87 nachlesen, wie man angebrochene Weinflaschen lagert.

Doch auch wer keine Weinverkostung organisieren will, wird in diesem Buch Antworten auf viele Fragen rund um das Thema Wein erhalten. So verrate ich Ihnen beispielsweise, mit welchen Gläsern Sie am besten beraten sind, nach welchen Kriterien man eine Flasche Wein im Restaurant oder beim Händler auswählt, welche Weine mit welchen Speisen kombiniert werden können, wie man ein Etikett dechiffriert und wie man sich das Basiswissen zum Thema Wein am schnellsten und am einfachsten aneignet.

Zu diesem Buch inspiriert hat mich übrigens Hubrecht Duijker, *der* niederländische Weinexperte schlechthin, mit einem der populärsten seiner 117 Weinbüchern, nämlich dem genialen (bislang nur auf Niederländisch erhältlichen) Titel *Wijnkenner in een weekend* (deutsch: »Weinexperte an einem Wochenende«).

Sowohl strukturell als auch inhaltlich bin ich zwar eigene Wege gegangen, doch ist mir genau wie Hubrecht Duijker vollauf bewusst, dass Wein heutzutage zu den beliebtesten Getränken weltweit gehört und es unzählige Weintrinker gibt, die mehr darüber erfahren wollen – allerdings ohne unnötig viel Zeit und Geld zu investieren; schließlich wollen sie keine Fachleute werden, die bis ins kleinste Detail Bescheid wissen. Ich hoffe jedenfalls, mit diesem Buch dazu beizutragen, dass Sie aus jedem Glas und jeder Flasche Wein ein Maximum an Genuss herausholen.

Jancis Robinson

Einige einfache Erklärungen

Was ist Wein?

Meine Auffassung: Wein ist das köstlichste, anregendste, vielfältigste Getränk der Welt und zudem so komplex, dass man schier daran verzweifeln kann. Wein heitert uns auf, lässt unsere Freunde noch freundlicher erscheinen und schmeckt hervorragend zum Essen.

Die offizielle **Definition der EU**: Wein ist ein »Erzeugnis, das ausschließlich durch vollständige oder teilweise alkoholische Gärung der frischen, auch eingemaischten Weintrauben oder des Traubenmostes gewonnen wird«, wobei die Gärung möglichst in der Nähe des Anbauorts und gemäß lokalen Traditionen und Gepflogenheiten vonstattengehen soll.

Wie wird Wein hergestellt?

Das Schlüsselwort heißt Gärung. Mithilfe von Hefe können die meisten Zuckerarten zu Alkohol und Kohlendioxid vergoren werden. Apfelsaft wird zu Cider, also Apfelschaumwein, aus gemalztem Getreide entsteht auf diese Weise Bier. Selbst Marmelade kann in einem angebrochenen Glas nach einer Weile anfangen zu gären.

Kommt der Fruchtzucker in den reifen Trauben mit Hefen in Berührung, entstehen als Resultat der chemischen Reaktion Alkohol und Kohlendioxid. Neben den wilden Hefen (auch indigene, einheimische oder autochthone Hefen genannt), die in der Atmosphäre, also auch im Weinkeller oder Weingarten, zu finden sind, werden oft auch spezielle, industriell hergestellte und bewusst ausgewählte Reinzuchthefen verwendet, bei denen das Ergebnis etwas vorhersehbarer ist. Je länger die Trauben am Rebstock reifen, desto mehr Zucker enthalten sie. Zugleich verlieren sie an Säure, gewinnen an Farbe und werden weicher.

Mit zunehmendem Reifegrad steigt der Zuckergehalt in den Trauben an, und je mehr Zucker bei der Gärung in Alkohol umgewandelt wird, desto stärker wird der daraus entstehende Wein. Man kann die Gärung jedoch bewusst stoppen, um den Wein durch den dann noch vorhandenen Restzucker süßer schmecken zu lassen.

Unter günstigen klimatischen Bedingungen wachsen tendenziell Trauben mit weniger Säure und mehr Zucker, weshalb Weine aus wärmeren Regionen – sofern die Gärung ungehindert verlaufen kann – stärker sind als Weine aus kühleren Anbaugebieten. Je heißer die Sommer, desto reifer die Trauben und desto stärker der Wein. Deshalb sind Weine, die in größerer Entfernung vom Äquator entstehen, meist leichter und enthalten weniger Alkohol. Weine aus Apulien, also vom »Absatz« des »italienischen Stiefels«, sind deshalb viel stärker als Weine aus dem verhältnismäßig kühleren Norditalien. Weine aus England, wo die Weinindustrie noch in den Kinderschuhen steckt, sich allerdings rasch entwickelt, weisen dagegen einen ausgesprochen hohen Säuregrad auf.

Wurde der süße Traubensaft infolge der Gärung in jene alkoholhaltige Flüssigkeit verwandelt, die wir Wein nennen, so kann es bis zur Abfüllung in Flaschen trotzdem noch eine Weile dauern – vor allem wenn es sich um einen komplexen Rotwein handelt, der noch reifen soll. Fruchtige, aromatische Weißweine landen oft schon wenige Monate nach der Gärung in Flaschen, damit ihr frisches Obstaroma erhalten bleibt. Bei »ernsthafteren« Weinen dagegen wartet man häufig noch ein oder zwei Jahre ab, bis ihre diversen Inhaltsstoffe eine harmonische Einheit bilden. Zu diesem Zweck werden sie in Behältnisse unterschiedlichster Form und Größe gefüllt, häufig in Fässer aus Eichenholz, dem im Zusammenhang mit Wein eine besondere Rolle zukommt. Je neuer und kleiner das Fass, desto mehr Holzaroma absorbiert der Wein. Heutzutage sind allzu aufdringliche Holznoten jedoch verpönt, weshalb immer häufiger ältere, größere Eichenfässer oder aber geschmacksneutrale Container aus Beton verwendet werden. Bei Weinen, die möglichst jung getrunken werden sollen, kommen überwiegend einfach zu reinigende Edelstahltanks zum Einsatz.

Rot, weiß oder rosé?

Rot Das Fruchtfleisch praktisch aller Trauben ist graugrün; es ist die Schale, die die Farbe des Weins bestimmt. Aus Beeren mit gelber oder grüner Haut kann niemals Rotwein entstehen. Wein wird nur dann rot, wenn man Beeren mit dunkler Schale zu Traubensaft (auch Most genannt) verarbeitet. Je dicker die Haut und je länger der Saft oder Most mit ihr in Berührung bleibt, desto intensiver fällt die Farbe des daraus entstehenden Rotweins aus.

Rosé Die meisten Roséweine verdanken ihre Färbung der Tatsache, dass der Most einige wenige Stunden mit den dunklen Beerenschalen in Berührung gekommen ist. Gelegentlich werden bei der Herstellung von Roséwein weiße und rote Rebsorten gemischt, mitunter wird auch der bereits vergorene Weißwein mit etwas Rotwein verschnitten, also gemischt. Mittlerweile wird Roséwein das ganze Jahr über getrunken, nicht mehr nur im Sommer, und avanciert in zunehmendem Maße zu einem »ernstzunehmenden« Wein.

Weiß Aus hellen Rebsorten kann – wie gesagt – nur Weißwein entstehen. Umgekehrt ist es jedoch möglich, aus dunklen Beeren Weißwein zu bereiten. Dafür muss jeglicher Kontakt mit den Schalen sorgfältig unterbunden werden. Solche Weine werden (vor allem in der Champagne) bisweilen *Blanc de Noirs* genannt. Es gibt auch Weißweine mit orangefarbener Tönung, die daher rührt, dass der Most bewusst kurz mit den Schalen in Berührung gebracht wurde.

Weinnamen – nicht nur Schall und Rauch

Früher wurden Weine nach ihrem Herkunftsort, der sogenannten »Appellation«, benannt und hießen zum Beispiel Chablis, Burgunder, Bordeaux und so weiter. Doch als sich Mitte des 20. Jahrhunderts zahlreiche neue Anbaugebiete außerhalb Europas etablierten, wurden Weine zusehends unter dem Namen der Rebsorte vermarktet, aus der sie zum überwiegenden Teil bereitet wurden. Somit standen auf den Etiketten stattdessen nun vorwiegend Namen wie Chardonnay (die wichtigste Rebsorte in der Region Chablis) oder eine der anderen weißen Burgundersorten oder aber Cabernet Sauvignon oder Merlot, die wichtigsten roten Bordeaux-Weine. Ab Seite 94 finden Sie die bekanntesten Rebsorten, ab Seite 108 die wichtigsten Anbaugebiete. Dort erfahren Sie, welche Weine wo wachsen.

Die Qual der Wahl

Tipps für den (W)Einkauf

Es kann ganz schön verwirrend sein, wenn man sich der riesigen Auswahl an Weinen gegenübersieht, die die meisten Händler anbieten, sei es im Geschäft oder online. Auf den nächsten Seiten gebe ich Ihnen zehn Tipps für den Weinkauf, wobei es eigentlich unmöglich ist, jemandem quasi per »Ferndiagnose« eine bestimmte Flasche zu empfehlen, ohne seine individuellen persönlichen Vorlieben zu kennen. Aber ich habe mir mit diesem Buch in erster Linie zum Ziel gesetzt, Weintrinkern genau die Informationen zur Verfügung zu stellen, die sie benötigen, um eine kluge Entscheidung zu treffen.

Werde ich gefragt, wie man bei der Weinauswahl am besten vorgehen sollte, dann lautet mein Vorschlag stets: Wenden Sie sich vor Ort an einen unabhängigen Weinhändler Ihres Vertrauen. Supermärkte können zwar günstig große Mengen Wein einkaufen, was allerdings nur von Vorteil ist, wenn es um Weine im untersten Preissegment geht. Die Qualität spielt dabei nur selten eine Rolle. Deshalb ist es sinnvoll, sich an einen kleineren, unabhängigen Weinhändler zu wenden, der wirklich etwas von der Materie versteht und der beim Verkauf jeder einzelnen Flasche Wein mit Herzblut bei der Sache ist. Beim Weinkauf ist es (genauso wie beim Erwerb eines Buchs) hilfreich, dem Verkäufer zu schildern, was man mag und was nicht, damit er maßgeschneiderte Empfehlungen aussprechen kann. Ich rate Ihnen also, einem Fachmann zu beschreiben, welche Sorte Wein Sie gern trinken, damit er Ihnen entsprechende Weine empfehlen kann. Seien Sie dabei jedoch ruhig experimentierfreudig – erkundigen Sie sich auch mal nach hochpreisigeren oder qualitativ hochwertigeren Produkten.

Lesen Sie für den Anfang die Tabelle auf den Seiten 18–19 durch. Dort mache ich Ihnen Vorschläge auf der Basis Ihrer Vorlieben, nach dem Motto »Wenn Ihnen X schmeckt, werden Sie Y lieben« und rege dazu an, auch mal etwas Neues auszuprobieren.

Falls Sie die Entscheidung doch lieber allein treffen oder keinen Weinhändler vor Ort haben, zapfen Sie vor dem Kauf möglichst sämtliche verfügbare Informationsquellen an, ganz egal ob online oder in gedruckter Form. Um mehr zu erfahren, können Sie auch den Abschnitt »Die Wahl des Weins im Restaurant« (Seite 20) zurate ziehen.

AUF ZU NEUEN UFERN!

Die Standardvariante
Die clevere Alternative
(teils billiger, oft interessanter)

———

Prosecco
Crémant du Jura, Crémant de Limoux

———

Champagner
Englischer Schaumwein

———

Bekannte Champagnermarken
(bei denen »N.M.« auf dem Etikett steht)

Winzer-Champagner
(bei dem »R.M.« auf dem Etikett steht)

———

Pinot Grigio
Österreichischer Grüner Veltliner

———

Neuseeländischer Sauvignon Blanc
Chilenischer Sauvignon Blanc

———

Puligny-Montrachet
Chablis Premier Cru

Mâcon Blanc, Pouilly-Fuissé
Weißwein aus dem Jura

Weißburgunder
Galizischer Godello

Meursault
Fino-Sherry oder Manzanilla-Sherry

Beaujolais
New-Wave-Rotweine
aus Maule und Itata in Südchile

Argentinischer Malbec
Côtes-du-Rhône-Rotweine

Rioja
Spanischer Garnacha, Catalayud, Campo de Borja

Châteauneuf-du-Pape
Single-Estate-Wein
(also aus den Trauben eines einzigen Weinguts)
aus dem Languedoc-Roussillon

---

eleganter roter Bordeaux
Douro-Rotwein

Die Wahl des Weins im Restaurant

In einem Restaurant oder einer Bar hat man im Allgemeinen eine kleinere Auswahl als bei einem Händler, und die Margen sind ungleich größer (in der Regel beträgt der Aufschlag auf den Einkaufspreis in Restaurants zwischen 100 und 300 Prozent). Fehlentscheidungen kommen Sie hier also bedeutend teurer zu stehen. Die überwiegende Mehrheit der Restaurants verlässt sich seit jeher darauf, mit dem Verkauf alkoholischer Getränke den größten Gewinn zu machen, weil man für gewöhlich davon ausgehen kann, dass die Gäste den Preis eines Steaks eher einschätzen können als den einer bestimmten Flasche Wein. Allerdings wird es für Restaurantbetreiber zusehends schwieriger, ihre Gäste über den Tisch zu ziehen, denn heutzutage besitzt fast jeder ein Smartphone, mit dem man Webseiten wie beispielsweise *Winesearcher.com* konsultieren und sich über die weltweiten Verkaufspreise unzähliger Weine informieren kann. Außerdem gibt es hilfreiche Apps wie *Raisinable*, die die Weinkarten von Restaurants vergleichen und angeben, wo die geringsten Preisaufschläge zu erwarten sind (bislang allerdings nur für Restaurants in London und New York).

Wenn Sie auf die Auswahl eines Weins von der Weinkarte vorbereitet sein wollen, empfehle ich Ihnen, die zahlreichen Informationsquellen zu nutzen, die uns heutzutage zur Verfügung stehen. Viele Restaurants stellen ihre Weinkarte ins Internet, Sie können Ihre Recherche also schon im Vorfeld online erledigen. Versuchen Sie herauszufinden, wie die Weine, die Sie ansprechen, von bekannten Kritikern (ähem) und/oder von Webseiten wie zum Beispiel CellarTracker.com, Vinum.info oder Falstaff.de beurteilt wurden.

Wenn es Ihnen nicht möglich ist, vor dem Restaurantbesuch zu recherchieren, nehmen Sie Ihr Smartphone einfach mit und holen vor Ort rasch ein paar Erkundigungen zu den Weinen ein, die für Sie infrage kommen. Lesen Sie dazu auch meine Empfehlungen zum Thema Essen und Wein ab Seite 47.

Wenn Sie sich nicht entscheiden können oder sich nicht genügend informiert fühlen, dann tun Sie das Naheliegendste und bitten den Weinkellner um Rat. Entgegen der landläufigen Meinung ist dies keineswegs ein Zeichen von Unwissenheit. Ich wage sogar zu behaupten, dass es von Selbstbewusstsein und Sachverstand zeugt, wenn man in dieser Frage einen Fachmann oder eine Fachfrau zurate zieht. Nur Gäste, die völlig ahnungslos sind, scheuen das Gespräch mit einem Sommelier. Dabei lieben es gute Weinkellner, wenn sie gelegentlich ein wenig fachsimpeln können. Zugegeben, die Mitglieder der »alten Garde«, die oft herzlich wenig über Wein wussten und eigentlich auch kein großes Interesse an diesem Getränk hegten, versteckten sich gern hinter einer Maske aus Hochmut. Heutzutage dagegen sind Sommeliers tendenziell richtige Liebhaber und gern bereit, Empfehlungen für die gewünschte Preiskategorie auszusprechen. Nennen Sie dem Kellner nach der Bestellung des Essens eine Sorte Wein, die Sie mögen, und einen Betrag, den Sie bereit sind auszugeben. Oder sagen Sie: »Wir hätten gern einen Rotwein und einen Weißwein. Was können Sie uns empfehlen?« Sie werden dem Kellner damit garantiert eine große Freude machen.

Übrigens ist es keine Schande, einen der Weine aus dem unteren Preissegment zu bestellen. Nur Oligarchen oder Ölmagnaten, die Gefallen daran finden, ihr Geld mit beiden Händen auszugeben, bestellen die teuersten Weine auf der Karte.

DIE ZEHN GEBOTE
DES WEINKAUFS

1. Hände weg von Flaschen, die im Schaufenster oder in der Nähe einer Hitze- oder Lichtquelle gelagert wurden. Wärme und Licht können einen Wein rasch seiner Fruchtigkeit und Frische berauben.

2. Suchen Sie gezielt nach Weinen, die möglichst in der Nähe des Anbaugebiets abgefüllt wurden. Auf jedem Weinflaschenetikett muss die Adresse des Abfüllers (oder zumindest seine Postleitzahl) angegeben werden, falls es sich dabei nicht um den Winzer selbst handelt. Seien Sie misstrauisch bei Weinen, die beispielsweise aus Neuseeland stammen, aber in Großbritannien abgefüllt wurden. Immer häufiger kommt es vor, dass Wein in Containern statt in Flaschen um den halben Globus geschickt wird, was bei günstigem Wein aus ökologischer Sicht sinnvoll erscheinen mag. Doch seriöse Winzer werden darauf bestehen, ihre Weine selbst abzufüllen. Halten Sie bei französischen Weinen auf dem Etikett Ausschau nach dem Vermerk »Mis en bouteille au domaine/château«.

3. Ist die Flasche mit einem Naturkorken verschlossen, dann kaufen Sie sie nur, wenn sie liegend gelagert wurde, denn auf diese Weise bleibt der Korken feucht, und es kann kein Sauerstoff in die Flasche gelangen.

4. Überprüfen Sie den Füllstand im Flaschenhals. Wenn die Flasche aufrecht steht, sollte der Abstand zwischen Weinspiegel und Korken maximal zwei bis drei Zentimeter betragen. Ein größerer Abstand deutet darauf hin, dass der Wein bereits einer zu großen Menge an schädlichem Sauerstoff ausgesetzt war.

5. Es kann ausgesprochen schwierig sein, sich die besten Jahrgänge der diversen Regionen einzuprägen. Eine hilfreiche Gedächtnisstütze ist in diesem Fall meine Fünfer-Regel: Alle Jahrgänge seit 1985, die durch fünf teilbar sind (also auf 5 oder 0 enden), waren ziemlich gut.

6. Hüten Sie sich vor Weinen, bei denen auf dem hinteren Flaschenetikett allzu detailliert beschrieben wird, wie sie schmecken oder zu welchen Gerichten sie passen. Es könnte sich um exzessive Marketing-Schönfärberei handeln. Mich persönlich interessiert viel mehr, wie der Wein entstanden ist.

7. Nehmen Sie Ihr Smartphone mit, damit Sie sich über die Beurteilungen und Meinungen von Weinkritikern und anderen Weinliebhabern informieren können.

8. Wenden Sie sich an einen selbstständigen Weinhändler und bitten Sie ihn um Hilfe. Wenn er Sie schlecht berät, wechseln Sie den Händler einfach – so lange, bis Sie zufrieden sind.

9. Entscheiden Sie sich bei günstigen Weißweinen und insbesondere bei Roséweinen immer für den jüngsten verfügbaren Jahrgang.

10. Wenn ein Wein im Sonderangebot zu erwerben ist, erkundigen Sie sich, weshalb. Manchmal liegt es daran, dass der Wein fehlerhaft oder zu alt ist.

Flaschen und Etiketten

Was die Flaschenform verrät

Die klassische Bordeaux-Flasche wird im Allgemeinen für Rotweine verwendet, die hauptsächlich aus Cabernet- und/oder Merlot-Trauben bestehen (unabhängig vom Anbaugebiet), doch auch Weißweine aus Bordeaux findet man in solchen Flaschen.

klassische Bordeaux-Flasche

klassische Burgunder-Flasche

Die klassische Burgunder- bzw. Rhône-Flasche ist sehr verbreitet, vor allem bei Weinen auf der Basis der Rebsorten Pinot Noir, Syrah, Grenache und Chardonnay, sie kommt aber auch bei zahlreichen anderen Weinen zum Einsatz.

Schaumweinflaschen müssen einem größeren Druck standhalten und bestehen daher aus dickerem Glas. Meist ähneln sie großen Burgunder-Flaschen, wobei die meisten der exklusivsten Champagnersorten in speziell geformten Flaschen in den Handel kommen.

Flaschengrößen

Die Standardflasche enthält 0,75 Liter Wein, weshalb Wein im Glas meist als Viertel oder Achtel angeboten wird. »Halbe Flaschen« mit 0,375 Liter Inhalt sind selten, weil die Hersteller

a) möglichst viel Wein verkaufen wollen, b) fürchten, dass der Wein einer unverhältnismäßig großen Menge an Sauerstoff ausgesetzt ist, was die Haltbarkeit beeinträchtigt, und c) wissen, dass die Kosten für das Befüllen, Verschließen und Etikettieren einer kleineren Flasche gleich hoch sind wie bei einer großen. Experten zufolge reifen Weine am besten in Magnumflaschen mit 1,5 Litern Inhalt, weil in diesen angeblich das optimale Wein-Sauerstoff-Verhältnis gegeben ist. Gegen Magnumflaschen spricht, dass ein weitaus größerer Schaden entsteht, wenn etwa der Korken mangelhafte Qualität hat. Guter Wein in noch größeren Flaschen ist meist nur etwas für Wichtigtuer.

Was das Etikett verrät

Ich bin der festen Überzeugung, dass es kein anderes Lebensmittel gibt, bei dem sich über das Etikett so rasch und unkompliziert der Erzeuger ausfindig machen lässt wie bei Wein. Der ehemalige Werbefachmann John Dunkley, der in der Toskana das Weingut Riecine gründete, sagte einmal: »Die Weinherstellung ist der einzige Wirtschaftszweig, in dem ein einzelner Mensch für alles zuständig sein kann, angefangen von den Rebflächen über die Verpackung bis hin zum Vertrieb.«

Bei europäischen Weinen wie dem Gevrey-Chambertin von Fourrier (siehe Seite 26) ist in der Regel eher die geografische Bezeichnung angegeben als die Rebsorte. Die Hersteller liefern dann entweder (leider zu selten) auf dem Rückenetikett weitere Details zum Inhalt der Flasche oder setzen (oft fälschlicherweise) voraus, dass die Konsumenten ohnehin Bescheid wissen.

① Hersteller   **②** Geografische Herkunftsbezeichnung (»Appellation«)   **③** Rebsorte

① Bedeutet »alt« (gesetzlich nicht geregelter Begriff)   **②** Bedeutet »Weingut«
③ Name des Weinguts, von dem die Trauben stammen
④ Geografische Herkunftsbezeichnung (»Appellation«)   **⑤** Hersteller
⑥ Bei den meisten Weinen muss angegeben werden,
wo und von wem sie abgefüllt wurden   **⑦** Alkoholgehalt

Auf dem Vorderseitenetikett von Domaine Drouhin steht, wo der Wein angebaut wurde und um welche Rebsorte es sich handelt. Alle weiteren Details sowie die vorgeschriebenen Informationen finden sich auf dem Rückenetikett, wie dies vor allem außerhalb von Europa gängige Praxis ist.

Die bekanntesten Rebsorten finden Sie auf den Seiten 94–104, die wichtigsten Anbaugebiete auf den Seiten 108–148.

Wie stark ist mein Wein?

Aus jedem Weinflaschenetikett muss hervorgehen, wie viele Volumenprozent Alkohol der Wein enthält (wobei es mir so vorkommt, als würde auf amerikanischen Flaschenetiketten stets die kleinstmögliche Schrift für diese nicht unerhebliche Information verwendet werden). Ich möchte Ihnen dringend ans Herz legen, auf den Alkoholgehalt Ihres Weins zu achten, denn er kann entscheidend mitbestimmen, wie Sie sich am darauffolgenden Morgen fühlen. Ein Wein mit 15 Volumenprozent ist immerhin um ein Siebtel stärker als ein Wein mit 13 Prozent. Allerdings sollte man bedenken, dass Unterschiede von einem halben Prozent zwischen behauptetem und tatsächlichem Alkoholgehalt keine Seltenheit sind. Als »Turbolader-Weine« noch en vogue waren, haben die Hersteller oft übertrieben, heutzutage dagegen werden die angegebenen Werte häufig abgerundet und liegen eher unter dem tatsächlichen Alkoholgehalt.

Wie bereits im Abschnitt »Wie wird Wein hergestellt?« (Seite 11) erwähnt, sorgt ein warmes Klima am Anbauort nach der vollständigen Gärung für einen hohen Alkoholgehalt. Bisweilen – vor allem in den relativ kühlen Weinanbaugebieten Deutschlands – wird die Gärung jedoch gestoppt, sodass noch etwas unvergorener Traubenzucker im Wein verbleibt. Süßere Weine enthalten dann bisweilen nur zwischen sieben und neun Prozent Alkohol. Bei den meisten der heutzutage erhältlichen Weine liegt der Alkoholgehalt jedoch zwischen 13 und 14,5 Prozent, wobei in wärmeren Anbaugebieten sogar Werte zwischen 15,5 und 16 Prozent möglich sind, etwa in Châteauneuf-du-Pape im südlichen Rhône-Gebiet im Département Vaucluse, wo die dort heimische Rebsorte (Grenache) einen beträchtlichen Reifegrad erreichen muss, ehe sie sich geschmacklich voll entfalten kann.

Derzeit geht beinahe überall auf der Welt der Trend hin zu einem geringeren Alkoholgehalt bei möglichst gleichbleibenden Geschmacks- und Charaktereigenschaften des Weins, weshalb der Anteil der Weine mit 11 bis 13 Prozent Alkohol steigt. Da ein ausgeprägter Säuregehalt zu den Schlüsselmerkmalen qualitativ hochwertiger Schaumweine zählt, werden die Trauben für Sekt, Champagner und dergleichen heute tendenziell früher geerntet als jene für Stillweine, und die daraus resultierenden Weine enthalten häufig um die zwölf Prozent Alkohol, während ein frischer, nur leicht kohlensäurehaltiger Moscato mit fünf bis sieben Prozent eigentlich noch fast als Traubensaft durchgehen kann.

Im Allgemeinen sind in größerer Entfernung vom Äquator produzierte Weine weniger stark. Allerdings ist es den Winzern in den kühleren Gegenden Europas gestattet, den Alkoholgehalt durch Zugabe von Zucker zum gärenden Traubensaft um ein bis zwei Prozent zu steigern. Diese Methode heißt »Chaptalisation«

(Trockenzuckerung) und ist benannt nach dem napoleonischen Minister Jean-Antoine Chaptal, der diese Anfang des 19. Jahrhunderts in Zeiten eines Überangebots an Zuckerrüben ersonnen hat.

Dieses Verfahren ist das Gegenteil der Azidifikation (Aufsäuerung), einer Technik, die in warmen Weinbaugebieten weit verbreitet ist (und nach besonders heißen Sommern immer öfter auch in kühleren Regionen erlaubt wird). Bei der Azidifikation wird der gärende Traubensaft mit Säure versetzt – für gewöhnlich mit Weinsäure, die von Natur aus in Trauben vorkommt, und die Ihnen in Form von Weinstein sicher schon begegnet ist. Chaptalisation und Azidifikation ein- und desselben Weins ist weltweit untersagt.

DURCHSCHNITTLICHER ALKOHOLGEHALT

5–7 Vol.-%

Moscato, Asti

———

7–9 Vol.-%

Moselweine mit dezenter Süße

———

9–12 Vol.-%

Trockenere deutsche Weine,
gezielt früh geerntete Rebsorten

12–13 Vol.-%
Champagner und andere Schaumweine,
aber auch immer mehr Stillweine

13–15 Vol.-%
Die große Mehrheit aller aktuell
erhältlichen Stillweine

15–20 Vol.-%
Likörweine wie Sherry,
Portwein und Madeira sowie
stärkere Muscatweine usw.

Wie man einen Wein verkostet

In diesem Kapitel lernen Sie, wie die Profis bei der Weinverkostung vorgehen. Eine sogenannte Degustation ist eine überraschend unkomplizierte Angelegenheit und kann problemlos im Alltag durchgeführt werden – kein Grund also, viel Aufhebens darum zu machen.

Erstens: Optik

Halten Sie das Glas etwas schräg von sich weg, im Idealfall vor einem weißen oder hellen Hintergrund, und vergleichen Sie die Farbe der Flüssigkeit in der Mitte mit der am Rand. Bei reifen Rotweinen ist hier häufig ein beträchtlicher Unterschied zu erkennen.

Ein kräftiger Rotton in der Mitte lässt auf dicke Traubenschalen oder auf einen heißen, trockenen Sommer schließen. Wird die Farbe zum Rand hin heller (orangerot), haben Sie einen schon etwas reiferen Tropfen vor sich. Sehr junge Rote sind bis zum Rand hin von einem ins Blauviolett spielenden Dunkelrot.

Sowohl Rot- als auch Weißwein nimmt mit der Zeit eine leicht bräunliche Färbung an. Bei Weißweinen wird die Farbe intensiver, bei Rotweinen lässt sie nach. Die Farbe hängt von der Rebsorte ab, zudem kann bei Weißweinen durch Reifung im Eichenfass oder durch Zugabe von Chips aus Eichenholz oder Ähnlichem eine kräftigere Farbe erzielt werden. Für weitere Details siehe Seite 94–106.

Verkostungsübung: Die folgende Übung wird leider nicht ganz billig: Versuchen Sie, zwei Jahrgänge des gleichen Rotweins aufzutreiben – idealerweise mit zwei Jahren »Altersunterschied« (bei Bordeaux haben Sie vermutlich die größte Auswahl). Sie werden sehen, dass die Farbe des älteren Weins bedeutend weniger violettrot ist.

Zweitens: Duft

Der Geruchssinn spielt beim Degustieren mit Abstand die wichtigste Rolle. Da der Großteil unserer sensiblen Geschmackswahrnehmungsorgane im obersten Teil der Nase angesiedelt ist, nehmen wir jeden **Geschmack** als Aroma wahr. Selbst wenn Sie noch nie bewusst an einem Wein geschnuppert haben, so haben Sie vermutlich seinen Geschmack zumindest teilweise über die Nase erfasst, weil die flüchtigen Inhaltsstoffe über den hinteren Mundbereich in den oberen Bereich der Nasenhöhle aufsteigen. Je komplexer das Aroma, desto besser der Wein.

Sie werden sich die verschiedenen Geschmacksrichtungen leichter einprägen können, wenn Sie versuchen, sie zu benennen. Im Abschnitt »Die richtige Weinansprache« (Seite 36–45) finden Sie einige der Ausdrücke, die häufig mit bestimmten Rebsorten assoziiert werden. Im Grunde gibt es aber keine verbindlichen Regeln bei der Wahl von Vergleichen zur Beschreibung eines Weins. Neulinge bedienen sich sogar oft eines viel treffenderen und hilfreicheren Vokabulars als alte Hasen, weil sie noch vorurteilsfrei an die Sache herangehen. Auf jeden Fall ist es eine Herausforderung, etwas, das so facettenreich und zudem so stark unseren individuellen Vorlieben und unserer persönlichen Wahrnehmung unterworfen ist, mit Worten zu beschreiben.

Verkostungsübung: Versuchen Sie, mit einer Nasenklammer oder meinetwegen auch mit einer Wäscheklammer auf der Nase einen Wein zu verkosten. Sie werden feststellen, dass dies ungleich schwieriger ist, wenn Sie nicht frei atmen können. Lassen Sie sich von einem Freund die Augen verbinden und testen Sie (mit der Klammer auf der Nase), ob Sie einen geriebenen Apfel geschmacklich von einer geriebenen Karotte – oder sogar von einer gehackten Zwiebel – unterscheiden können. Wetten, Sie schaffen es nicht? Kein Wunder also, dass unser Essen nach nichts schmeckt, wenn wir einen Schnupfen haben.

Drittens: Mundgefühl

Die Geschmacksnerven im Mund verraten Ihnen allerlei über die vier **Dimensionen** eines Weins.

Säure: Zitronen und Essig enthalten ausgesprochen viel Säure, und so schmecken sie auch. Jeder Mensch empfindet Säure unterschiedlich. Bei mir ruft sie seitlich an den Zungenrändern ein Kribbeln hervor.

Adjektive rund um den Begriff »sauer« (von dezent bis intensiv): schal oder fade, harmonisch, frisch, knackig oder kernig, herb, nervös, rassig, bissig, scharf oder spitz, sauer, stichig

Süße: Wein kann höchst unterschiedliche Mengen an Zucker enthalten. Ein Gramm pro Liter (g/l) ist kaum wahrnehmbar, ein Wein mit etwa zehn Gramm pro Liter ist halbtrocken, und enthält er deutlich über 100 Gramm Zucker pro Liter, so schmeckt er geradezu aufdringlich süß.

Adjektive rund um den Begriff »süß« (von dezent bis intensiv): staubtrocken, trocken, halbtrocken, feinherb, lieblich, reich, halbsüß, süß, plump, klebrig, zuckersüß, sirupartig

Tannin: Findet sich in jungen Rotweinen (und in kaltem Schwarztee). Ein natürlicher Konservierungsstoff, der überwiegend aus Weintraubenschalen entsteht und die Innenseite der Wangen austrocknet.

Adjektive zum Tanningehalt (von dezent bis intensiv): (samtig) weich, rund, fest, adstringierend, gerbstoffreich, tanninlastig, kratzig, hart oder rau

Alkohol: Hinterlässt ein warmes Gefühl im hinteren Bereich der Mundhöhle, teils auch im oberen Rachen.

Adjektive zum Alkoholgehalt (von dezent bis intensiv): leicht, harmonisch, vollmundig, extrakt- oder körperreich, schwer, wuchtig, brandig

Bei einem guten, reifen Wein sind all diese Dimensionen miteinander im Einklang, sprich, keine von ihnen sticht hervor.

Verkostungsübung: Probieren Sie Zitronensaft und kalten Schwarztee (ohne Milch!), um ein Gefühl für Säure und Tannin zu bekommen. Achten Sie genau darauf, welche Empfindungen diese beiden Flüssigkeiten in Ihrem Mund hervorrufen.

Viertens: Nachgeschmack

Vom sogenannten »Abgang« oder »Finale« kann man auf die Qualität eines Weins schließen. Gute Weine zeichnen sich durch einen angenehmen Nachgeschmack aus. Hersteller von Massenweinen geben sich große Mühe, ihren Erzeugnissen einen bemerkenswerten (wenn auch oft eher simplen) Duft zu verleihen, doch darüber hinaus hinterlassen diese Weine meist keinen nachhaltigen Eindruck. Das Aroma verblasst rasch und animiert

Sie, einen weiteren Schluck zu nehmen, um sich davon zu überzeugen, ob das denn wirklich schon alles war. Einen richtig tollen Wein können Sie nach dem Schlucken noch viel, viel länger schmecken. Vielleicht ein guter Grund, mal etwas mehr auszugeben?

Verkostungsübung: Prüfen Sie den reifen Bordeaux-Rotwein aus der Übung in Schritt 1 auf seinen Abgang und vergleichen Sie diesen mit dem des billigsten Bordeaux, den Sie auftreiben können. Den hochwertigen Wein werden Sie, nachdem Sie geschluckt (oder ausgespuckt) haben, noch deutlich länger schmecken.

Die richtige Weinansprache

Im Folgenden finden Sie eine Reihe von Begriffen, die professionelle Weinverkoster häufig verwenden, um die Struktur und die Dimensionen eines Weins zu beschreiben.

Was die genauen Geschmacksrichtungen angeht, gibt es – wie erwähnt – keine verbindlichen Regeln. Geschmäcker sind bekanntlich verschieden, und auch ihre Wahrnehmung variiert von Mensch zu Mensch. Es hat sich eingebürgert, dass einige Aromen mit bestimmten Rebsorten oder Weinen in Verbindung gebracht werden – bei Syrah/Shiraz ist das beispielsweise »Pfeffer«, bei einigen Vertretern des Sauvignon Blanc »frisch gemähtes Gras«, während Gewürztraminer oft als »würzig« bezeichnet werden. Aber was wir eigentlich damit sagen wollen, ist: »Dieser Wein riecht wie ein typischer Syrah/Shiraz, Sauvignon Blanc oder Gewürztraminer.«

Im Kapitel »Kennen Sie diese Traube« (Seite 94ff.) können Sie einige der häufigsten sortenspezifischen Ausdrücke für die wichtigsten Weine nachlesen, doch wie vorhin bereits erwähnt legen Newcomer bei der Beschreibung von Weinaromen meist ein viel größeres Geschick an den Tag als ermattete alte Profis, die ihr kreatives Potenzial bereits vor Jahren ausgeschöpft haben und mit ihrem Weinvokabular inzwischen reichlich schludrig sind. »Freie Assoziation« ist das Stichwort, also fabulieren Sie munter drauflos. Achten Sie darauf, woran Sie ein bestimmter Wein erinnert, seien Sie möglichst präzise beim Vergleich von ähnlichen Aromen, und legen Sie sich Ihre ganz persönliche »Terminologiedatenbank« zu. Das wird Ihnen deutlich mehr bringen, als das Weinvokabular eines anderen Menschen zu recyceln.

Abgang (früher auch: Schwanz) Was bleibt, nachdem man den Wein geschluckt (oder bei einer professionellen Degustation »in eine Abfallkanne ausgegeben«, also ausgespuckt) hat; siehe auch *Finish*, sprich, wie lange dieser letzte Geschmackseindruck anhält.

adstringierend Bedeutet leicht tanninhaltig und bezieht sich auf Weine, die einen leicht pelzigen Geschmack im Mund hinterlassen.

alt Abwertende Bezeichnung für einen Wein, der den *Reifezenit* bereits überschritten hat.

Aroma Der Duft oder Geruch eines Weins, wobei Aroma und Duft praktisch nicht voneinander getrennt werden können, weil Geschmack in erster Linie über die Nase wahrgenommen wird.

aromatisch Besonders intensiv duftend.

Balance Vielleicht die allerwichtigste Eigenschaft eines Weins.
Die Balance stimmt, wenn Säure, Süße, Tannin und Alkohol
ein harmonisches Ganzes ergeben.

Botrytis Fachausdruck für jenen Pilz, der die sogenannte »Edelfäule« verursacht und dafür sorgt, dass die Geschmacksstoffe
der reifen Trauben konzentriert werden. Sein Geruch bewegt
sich zwischen Honig und Kohl. Das Resultat sind hervorragende Süßweine.

brandig Wein, der ein warmes bis brennendes Gefühl im Mund
hinterlässt. Grund dafür ist in der Regel ein zu hoher Alkoholgehalt.

Brett Abkürzung für *Brettanomyces*, eine Hefepilzgattung, der
Rotweinen eine animalische Note à la Pferdestall und nasser
Ledersattel verleihen kann, aber auch angenehmere Aromen
wie etwa nach Gewürznelken.

Bukett oder **Bouquet** Synonym für die umfangreiche Palette an
Aromen, die ein gereifter Wein entwickelt.

dünn Zu leicht und zu wenig *fruchtig*.

eckig Unharmonisch, mit zu viel Säure und Gerbstoff.

Edelfäule Siehe *Botrytis*.

eichig Übermäßig (unangenehm) hervortretender Geschmack
bei Weinen, die im Eichenfass oder unter Verwendung von
Eichenchips o. ä. ausgebaut wurden. Die neutrale Bezeichnung für solche Weine lautet »eichenfassgereift«, oft ist auch
die Rede von Barrique- oder Eichenausbau.

Essig Etwas, das Sie nicht in Ihrem Weinglas vorfinden wollen.
Wein nimmt, wenn er Luft und bestimmten Temperaturen
ausgesetzt wird, nach einer Weile erst einen *volatilen* und

dann einen *oxidierten* Geschmack an und wird schließlich zu Essig.

Extrakt Die Dichte eines Weins. Ein Wein mit hohem Extrakt ist ziemlich das Gegenteil von Wasser und enthält eine hohe Konzentration an Substanzen, die gelöst im Wein vorkommen, darunter Zucker, Säuren, Mineralstoffe und Proteine. Nicht zu verwechseln mit *Körper* – so mancher Mosel-Riesling enthält wenig Alkohol und trotzdem viel Extrakt.

Fassgeschmack Eine Folge mangelhaft gepflegter Fässer.

fest Mit kräftiger, aber nicht zu ausgeprägter Tanninnote.

Finish (auch Nachhaltigkeit, Nachhall oder Persistenz) Gibt an, wie lange der letzte Geschmackseindruck am hinteren Gaumen anhält. Weine ohne nennenswerten Geschmacksnachhall sind *kurz* im Abgang, ansonsten spricht man von einem *langen* Abgang.

flach Ohne viel Aroma oder Frische.

flüchtige Säure Jeder Wein ist »flüchtig«, sprich, Teile seiner Inhaltsstoffe verdunsten, der Begriff »flüchtige Säure« ist jedoch eindeutig negativ gemeint. Er bedeutet, dass vor, bei oder nach der Gärung etwas schiefgelaufen ist und Zucker oder Alkohol zu Essigsäure umgewandelt wurden.

frisch Spritzig, ähnlich wie *knackig*, aber mit etwas geringerem Säuregehalt und deutlicher jugendlicher Fruchtigkeit.

fruchtig Aromen, die an Früchte aller Art erinnern; keinesfalls ausschließlich *traubig*.

Gaumen Im übertragenen Sinn ein Synonym für die individuelle Geschmackswahrnehmung (»einen feinen/empfindlichen Gaumen haben«), wird aber auch verwendet, um zu beschreiben, welchen Eindruck ein Wein »am Gaumen«, also im

Mund (im Gegensatz zur Nase) hinterlässt. Die Wirkung des Weins kann sich zu Beginn des Geschmackserlebnisses am vorderen, dann am mittleren und schließlich am hinteren Gaumen bemerkbar machen.

gekocht Wein, der fehlerhaft süßlich schmeckt aufgrund von Oxidation oder Überreife des Traubenguts.

Geschmack Siehe *Aroma.*

geschmeidig Positiv belegte Degustationsbeschreibung für einen Wein, bei dem Säure- und Tanningehalt als angenehmes, harmonisches Ganzes empfunden werden (auch **weich** – ohne markante Säuren oder Tannine, oder **samtig** – von weicher, angenehmer Textur bei gleichzeitig wahrnehmbarer Tanninstruktur).

Gewicht Ein Maßstab für den *Körper,* genau wie beim Menschen.

grasig Nach frischem Gras duftend, ein typisches Merkmal des Sauvignon Blanc (kann im Deutschen aber auch negativ gemeint sein, im Sinne von unreif).

grün Wein mit unreifer Säure. Eine »grüne Nase« bedeutet, dass der Wein eine *vegetale* Note hat.

hart Wein mit zu viel Säure oder zu jungen, unreifen Tanninen.

herb Recht säuerlich oder *tanninlastig.* Auch aggressiv oder unreif.

hohl Das Gegenteil von körperreich – dünn und ohne geschmackliche Dichte.

Holzgeschmack/Holzaroma Normalerweise erwünschte Geschmackskomponente eines im Eichenholzfass ausgebauten Weins. Wenn der Holzgeschmack dominiert, spricht man von überholzten Weinen.

Kirchenfenster Siehe *Tränen.*

knackig Angenehmer, aber nicht übermäßiger Säuregehalt.

komplex Bietet unterschiedliche, harmonische Geschmacksnoten; die Entwicklung einer gewissen Vielschichtigkeit erfordert meist eine gewisse Reife.

Korkgeschmack, Korkschmecker Unappetitlicher Schimmelgeruch; die Ursache ist meist Trichloranisol (TCA), das in der Regel über den Korken in die Flasche gelangt (siehe Seite 53).

Körper Kann mit dem Alkoholgehalt gleichgesetzt werden, der das geschmackliche Volumen des Weins bestimmt. »Starke« Weine nennt man *körperreich*, eher »schwache« dagegen *leicht.*

körperreich Siehe *Körper.*

krautig Aroma von grünen Blättern, häufig bei Cabernet Sauvignon, Sauvignon Blanc und Sémillon, wenn die Trauben nicht vollreif gelesen wurden.

kurz Siehe *Abgang* bzw. *Finish.*

lahm Ein toter, unfrischer Wein, der seine Frische und Fruchtigkeit eingebüßt hat.

lang Siehe *Abgang* bzw. *Finish.*

leicht Schlank, gering in Extrakten und Alkohol, nicht unbedingt negativ belegt. Siehe *Körper.*

maderisiert Ein oxidierter, überalterter Wein.

mäuseln Ein Wein mit Mäuseharngeschmack ist fehlerhaft.

Mercaptane Verursachen einen unangenehmen Faule-Eier-Geruch, der bei der Reaktion von Hefen mit Schwefel im Bodensatz des Gärbehälters entsteht, durch Belüftung jedoch entfernt werden kann.

mineralisch Häufig verwendeter und viel diskutierter Überbegriff für Geschmacksnoten, die nicht in die Kategorien *fruch-*

tig, vegetal oder *animalisch* fallen, sondern eher mit Metall, Mineralien (wie Schiefer, Kiesel, Quarz, Kalkstein und dergleichen) oder chemischen Aromen assoziiert werden.

mittlerer Gaumen Siehe *Gaumen.*

mollig Angenehm füllig, weich und geschmeidig im Mund. (»Breit« ist im Deutschen in Bezug auf Wein eher negativ belegt und deutet auf einen hohen Alkoholgehalt hin.)

Mundgefühl Ein in Amerika geprägter Ausdruck, mit dem ursprünglich die Textur eines Weins gemeint war, der inzwischen in der Regel jedoch für Mächtigkeit ohne aggressive Tannine steht (auch: Sinneswahrnehmung, beeinflusst von Alkoholgehalt, Adstringenz, Säure, Süße und Viskosität).

Nase a) Der wichtigste Teil unserer Geschmacksorgane. b) In Fachkreisen auch Bezeichnung für den Duft eines Weins (man spricht dann von einer bestimmten Note »an der Nase«).

petillant Leicht schäumend, moussierend, perlend.

pfeffrig Die Duftnote schwarzer Pfeffer ist eine typische Geschmackseigenschaft noch etwas unreifer Syrah-Trauben, weißer Pfeffer wird gelegentlich mit Grünem Veltliner in Verbindung gebracht, grüner Pfeffer mit unreifem Cabernet Sauvignon.

oxidiert Ein Wein, der zu viel Kontakt mit Sauerstoff oder Luft im Allgemeinen hatte, wodurch er seine Fruchtigkeit und Frische eingebüßt hat und im Begriff ist, sich in *Essig* zu verwandeln. Deshalb sollte man Weinreste in kleinere Behältnisse umfüllen, in denen der Hohlraum zwischen Flüssigkeit und Verschluss möglichst klein ist.

rassig Ein Ausdruck, den ich häufig für Weine mit guter Säure und mit einem richtig lebendigen, imposanten Auftakt am Gaumen verwende.

reich Positiv belegter Begriff für gehaltvolle Weine mit intensivem, aber nicht unbedingt sonderlich süßem Geschmack.

reif Ein *komplexer* Wein, der sich in der Flasche entwickelt hat, ohne seine Frische und Fruchtigkeit zu verlieren. Siehe auch *lahm*.

Restsüße oder Restzucker Die Menge des nicht vergorenen Zuckers im fertigen Wein; wird in der Regel in Gramm pro Liter (g/l) angegeben. Ein Restzuckergehalt von weniger als zwei Gramm pro Liter ist kaum wahrnehmbar, liegt er über zehn Gramm, ist er meist deutlich auszumachen, wobei die Restsüße bei Weinen mit hohem Säureanteil weniger offensichtlich zutage tritt.

robust Kräftig, in Säure und Tannin ausgeprägt, nicht unbedingt harmonisch.

rund Ausgereift und harmonisch, ohne besonders ausgeprägte Tanninnote, aber auch nicht zu weich.

rustikal Etwas derb, *tanninlastig* und unausgewogen, aber mit eigenem Charakter.

sauber Fehlerfrei in Geruch und Geschmack.

schal Unangenehm säurearm.

Schwefel Das bei der Herstellung von Wein, von Säften und Trockenfrüchten seit Jahrtausenden am häufigsten eingesetzte Konservierungsmittel entsteht in kleinen, für die meisten Konsumenten harmlosen Mengen auch bei der Weinherstellung. Da Schwefel bei Asthmatikern allergische Reaktionen hervorrufen kann, ist auf den meisten Etikettten der Warnhinweis »Enthält Sulfite« zu lesen. Hohe Konzentrationen können ein Kratzen im Hals verursachen. Mittlerweile werden immer geringere Mengen an Schwefel bei der Weinherstellung eingesetzt (bei der Produktion vieler Süßweine ist jedoch etwas mehr Schwefel vonnöten, um die Gärung zu stoppen, ehe der Restzucker zu Alkohol umgewandelt wird).

spritzig Leicht kohlensäurehaltig und daher schäumend. Manchmal belassen Weinhersteller bewusst ein klein wenig des während der Gärung entstandenen Kohlendioxids gelöst im fertigen Wein. Ein paar winzige Bläschen sind bei einem Weißwein nicht unbedingt ein Fehler, bei vollmundigen Rotweinen kann dies jedoch ein Hinweis darauf sein, dass eine zweite Gärung eingesetzt hat, was dann ein Grund zur Beanstandung wäre.

stahlig Bezieht sich üblicherweise auf Weißweine mit deutlicher, aber nicht aufdringlicher Tanninnote und Säure.

stichig Wenn die Säure dominiert oder sich der Wein schon gefährlich nahe an der Grenze zum Essig bewegt.

süß Selbsterklärend (siehe Seite 34).

tanninlastig Wenig schmeichelhafte Bezeichnung für einen etwas zu gerbstoffreichen Wein (im Kapitel »Wie man einen Wein verkostet«, Seite 32–36, erfahren Sie, wo genau dieser Terminus innerhalb der Geschmackskategorien dieses Konservierungsstoffs einzuordnen ist).

tintig Mein persönlicher Ausdruck für Weine mit etwas zu geringer Fruchtigkeit und einer Spur zu viel Tannin und Säure.

Tränen Tränen oder *Kirchenfenster* sind die bogenförmigen Schlieren, die – insbesondere bei Weinen mit hohem Alkoholgehalt – an der Innenseite des Glases entstehen, nachdem man den Wein geschwenkt hat. Entgegen der landläufigen Meinung haben diese Muster weder mit der Viskosität noch mit dem Glyzeringehalt des Weins zu tun, sondern sie entstehen, weil sich Wein aus vielen verschiedenen Komponenten zusammensetzt, deren Oberflächenspannung sich unterscheidet. Das Vorhandensein von Tränen oder Kirchenfenstern hat nicht viel zu bedeuten.

traubig Einige wenige Weine (zumeist Muskateller) riechen tatsächlich nach Traubensaft.

Vanille Wird gemeinhin mit dem Aroma amerikanischer Eiche assoziiert.

vegetal oder **vegetabil(isch)** Pflanzliche Aromen, die an den Duft von Blättern, Gräsern, Kräutern oder Gemüse erinnern.

verschlossen Nicht besonders geruchsintensiv, am Gaumen aber immerhin so konzentriert und tanninreich, dass man dem Wein die Entwicklung weiterer Aromen zutraut.

viskos Dickflüssig bis klebrig, im Allgemeinen eine Eigenschaft starker, süßer Weine.

voll, vollmundig Positiv belegter Begriff für gehaltvolle Weine mit intensivem, schmeichelndem, aber nicht unbedingt sonderlich süßem Geschmack.

würzig Ein etwas irreführender Ausdruck, der oft verwendet wird, um den markanten, lycheeartigen Duft von Gewürztraminer zu beschreiben. Es gibt tatsächlich Weine, deren Aroma an diverse Gewürze erinnert, aber im Großen und Ganzen ist der Sammelbegriff genauso schwammig und unpräzise wie *mineralisch*.

»SUPERSCHMECKER«

Wir alle haben unterschiedlich viele Geschmacksknospen auf der Zunge. Zudem entwickelte Prof. Linda Bartoshuk von der Yale University in den 1990er-Jahren den sogenannten PROP-Test (benannt nach dem Schilddrüsenmedikament Propylthiouracil), bei dem ein Inhaltsstoff für die Probanden entweder widerlich bitter, nur leicht bitter oder nach gar nichts schmeckt. Anhand dieses Tests werden »Superschmecker« von »Normalschmeckern« und »Nichtschmeckern« unterschieden. Die Bezeichnungen »Superschmecker« und »Nichtschmecker« wurden nachträglich in »Hyperschmecker« beziehungsweise »Hyposchmecker« abgeändert, weil das weniger wertend klingt. Etwa die Hälfte der Bevölkerung gehört zu den Normalschmeckern, der Rest entfällt zu je einem Viertel auf die beiden anderen Kategorien.

Eine Hyperschmeckerzunge verfügt über eine besonders hohe Dichte an Geschmacksknospen und reagiert sensibler auf Konsistenz und intensiven Geschmack. Bei Hyposchmeckern ist die Dichte an Geschmacksknospen bedeutend geringer, weshalb sie, um denselben Geschmack wahrzunehmen, eine bedeutend stärkere Stimulation benötigen.

Essen und Wein kombinieren

Um die perfekte Kombination von Speisen und Wein wird viel zu viel Aufhebens gemacht. Die Auswahl eines Weins ist schon kompliziert genug, ohne sich den Kopf darüber zu zerbrechen, ob er auch zu dem passt, was Sie essen. Außerdem kommt sowohl bei einem Restaurantbesuch als auch bei einem Essen zu Hause oft ohnehin eine ganze Reihe unterschiedlicher Gerichte auf den Tisch.

Viel wichtiger als die Farbe des Weins ist, wie schwer er sich im Mund anfühlt und welche Auswirkungen er auf den Gaumen hat. Zu Gerichten mit eher dezentem Eigengeschmack – Burrata, frischer Mozzarella, Ziegenkäse, Omelette, gedünsteter weißer Fisch oder Hühnchen – wählt man am besten relativ leichte, subtile Weine wie Vermentino, Chablis oder Sauvignon Blanc, aber auch Roséweine oder leichte Rote wie Pinot Noir, Cinsault oder Beaujolais.

Verzehren Sie dagegen einen Schweinebauch, einen Hamburger, ein Steak Tartare oder Wild, ist Ihnen vermutlich eher nach einem etwas kräftigeren, körperreicheren Tropfen zumute, der am Gaumen richtig Wirkung zeigt. In diesem Fall empfehlen sich gehaltvolle Weine wie Grenache, Syrah/Shiraz oder Mourvèdre/Mataro.

Welches Essen passt zu meinem Wein?

Es gibt ein paar Tricks, die Sie befolgen können, wenn Sie überlegen, welches Gericht am besten zu einem bestimmten Wein passen könnte:

- Wenn Sie einen jungen Roten trinken wollen, der noch recht tanninreich und rustikal ist, servieren Sie dazu am besten Speisen, die ebenfalls rustikal sind – ein Steak oder einen Braten beispielsweise.
- Aromatische, vollmundige Weiße wie Riesling oder Gewürztraminer (sogar die recht fruchtigen) passen hervorragend zu pikanten Gerichten, vor allem zu Speisen mit thailändischem oder vietnamesischem Akzent.
- Wollen Sie zu einer Süßspeise Wein genießen, sollten Sie sich unbedingt für einen Tropfen entscheiden, der noch süßer ist als das Gericht, sonst wird er scheußlich dünn und sauer schmecken. Hervorragend geeignet sind in diesem Fall richtige Zuckerbomben: Pedro Ximénez, vollmundiger Sauternes, australischer Rutherglen Muscat oder reifer Ruby Port.
- Vorsicht bei Artischocken – sie lassen Weine metallisch schmecken, weshalb man sie nicht mit teuren Gewächsen kombinieren sollte.

Welche Weine passen zu meinem Essen?

Obwohl ich meine Vorbehalte habe, was die ideale Kombination von Essen und Wein angeht, so ist mir doch bewusst, dass viele Menschen auf der Suche nach Patentlösungen sind. Deshalb hier einige Paarungen, die sich bewährt haben. Sie werden feststellen, dass Weißweine viel einfacher zu »verkuppeln« sind als Rotweine.

Vorspeisen

Artischocken Heikel, siehe oben – wie gesagt, bloß nicht mit teuren Weinen kombinieren.

Austern Champagner, Chablis, Muscadet.

Ceviche Spritziger Sauvignon Blanc.

Consommé Diese Suppengerichte mit **klarer Brühe** werden traditionellerweise mit trockenem Sherry oder Madeira kombiniert, und beides passt prima dazu.

Hühnerleber-Parfait Weißweine mit einem Hauch Süße, zum Beispiel aus dem Elsass, Pinot Gris, Condrieu, Vouvray.

Krabben Vollmundige Weiße (Burgunder, Bordeaux oder Rhône).

Meeresfrüchte (siehe auch *Krabben*) Weißweine aus dem Département Rhône oder aus Südfrankreich, opulenter Chardonnay.

Pasteten und Terrinen Leichte Rotweine wie beispielsweise fruchtiger Cabernet Franc oder Merlot, Chinon und Bourgeuil, Pinot Noir.

Räucherlachs Riesling, Gewürztraminer, Pinot Gris/Grigio.

Salate Weißweine, vorzugsweise mit recht viel Säure.

Spargel Ähnlich heikel wie Artischocken. Versuchen Sie es mit Weißweinen aus Deutschland oder dem Elsass.

Suppen Dazu braucht man genau genommen kein Getränk. Orientieren Sie sich bei der Auswahl einfach an den Zutaten in fester Form.

Sushi und Sashimi Sake (japanischer Reiswein) passt recht gut, Schaumwein ebenfalls.

Wurst- und Fleischwaren (gepökelte, wie Salami oder Speck) Cru Beaujolais, Chianti Classico, qualitativ hochwertiger Valpolicella, trockener Lambrusco – Hauptsache rot und etwas rustikal.

Hauptgang

Aïoli Kaum zu glauben, aber wahr: trockener Rosé aus der Provence.

Burger Ein einfacher, fruchtiger Roter – wie wär's mit einem jungen, reinsortigen Merlot?

Daube (provenzialisches Ragout) und Schmortöpfe (Casseroles) aller Art Rotweine aus der Region Südliche Rhône, reifer roter Rioja.

Eierspeisen (Omelette, Quiche, Frittata) Flüssiger Dotter kann subtile Weinaromen überdecken, doch in den oben genannten Gerichten ist das Eigelb ja normalerweise fest. Dazu passen weiche, leichte Rotweine wie junger Merlot und Pinot Noir.

Fisch, roter (Lachs, Thunfisch) Dazu kann Pinot Noir aus der Neuen Welt ganz hervorragend schmecken.

Fisch, weißer Gegrillter oder gegarter weißer Fisch gehört zu den wenigen Speisen, mit denen es ein leichter deutscher

Riesling aufnehmen kann. Zu Fischgerichten mit reichhaltigen Soßen allerdings mundet ein vollerer, halbtrockener Weißwein wie Loire Chenin Blanc besser.

Fleisch, gegrilltes Würzig-rauchige Rotweine, etwa ein rassiger Barossa Shiraz, südafrikanischer Pinotage.

Huhn Sehr vielseitig, aber einem richtig körperreichen Rotwein können nur sehr herzhafte Hühnerfleischgerichte Paroli bieten. Leichte Rote oder vollmundige Weiße sind oft die bessere Ergänzung.

Kalb Ernsthafte toskanische Rotweine.

Pasta Die schmackhaftesten italienischen Rotweine – Chianti, Valpolicella – und eine ganze Reihe anderer Weine aus italienischen Rebsorten.

Pizza Zu Tomaten passen Weine jeglicher Couleur, allzu komplex müssen sie nicht unbedingt sein.

Risotto Je nachdem, was drin ist, aber mit einem vollmundigen Weißen können Sie nicht viel falsch machen.

Steaks und Koteletts Die Textur des Fleisches zähmt die Tannine langlebiger, jugendlicher Rotweine. Ideal sind ehrgeizige junge Rote aus Italien, iberische Rotweine wie Douro oder Ribera del Duero oder junge Rote aus Bordeaux.

Trüffel Weine aus dem Piemont (aus den Rebsorten Dolcetto, Barbera oder Nebbiolo).

Wild Die klassischen Begleiter sind roter Burgunder oder weiße Spitzenweine aus dem Elsass.

Käse

Blauschimmelkäse Süße, körperreiche Weißweine wie Sauternes sind hier die Klassiker und stellen eine ausgezeichnete Wahl dar.

Hartkäse Kann der ideale Gegenspieler für einen grandiosen, reifen Roten aus Bordeaux oder einen Cabernet Sauvignon von Spitzenqualität sein, aber auch für einen reifen Vintage Port.

Weichkäse mit Edelschimmel wie etwa Brie Spritzig-fruchtige Weiße wie Jurançon, Vouvray, Chenin Blanc.

Desserts und Süßes

Desserts mit Früchten Süße Weiße von der Loire auf der Basis von Chenin Blanc wie Vourvray passen gut, genau wie die meisten französischen Weine, auf deren Etikett »moelleux« steht (was wortwörtlich »so weich wie Knochenmark« bedeutet und so viel wie mittelsüß heißt), aber auch süße, frische italienische Weißweine wie Recioto di Soave und Picolit.

Eis Die Kälte betäubt den Gaumen, also bloß nichts allzu Ernsthaftes; Moscato funktioniert ganz gut.

Patisserie Süßweine, die süßer sind als der Kuchen oder die Torte (alle anderen werden unangenehm säuerlich schmecken).

Schokolade Für die meisten Weine tödlich, einmal abgesehen von sehr starken, süßen Weinen wie Port, Pedro Ximénes (PX) oder Malmsey aus Madeira.

Restaurantrituale

Eines der letzten noch existierenden Rituale im Rahmen des Service im Restaurant besteht darin, einem Gast, der Wein bestellt hat, eine kleine Kostprobe einzuschenken. Ich wette, der Großteil der Verkoster (und vermutlich auch so einige Kellner) wissen gar nicht genau, wozu das eigentlich gut sein soll. Zweck dieses Brauchs ist es festzustellen, ob der Wein die richtige Temperatur hat, und ob es ernsthaft etwas daran auszusetzen gibt. Meiner Erfahrung nach wird Rotwein in Restaurants tendenziell zu warm serviert (in diesem Fall bitte ich um einen Eiskübel) und Weißwein zu kalt (dann nehme ich die Flasche aus dem Kübel).

Wann dürfen Sie nun eine Flasche zurückgehen lassen? Der häufigste Grund ist ein muffiger Geruch, ausgelöst durch eine Substanz namens Trichloranisol (TCA), die unter anderem in Korken zu finden ist. Deshalb spricht man in so einem Fall von einem Korkenschmecker oder Korkton, mit dem häufig auch eine fehlende Fruchtnote am Gaumen einhergeht. Dummerweise kann der TCA-Gehalt ebenso stark variieren wie unsere individuelle Wahrnehmung dieses Weinfehlers, was schon für so manche hitzige Diskussion zwischen Kellner und Gast gesorgt hat. Dabei könnte man einwenden, dass es dem Restaurant ohne größere Probleme möglich sein sollte, die Flasche zurückzuschicken und sich den entstandenen Schaden vom Lieferanten ersetzen zu lassen (es sei denn, sie ist schon recht alt). An dieser Stelle sollte ich wohl noch darauf hinweisen, dass Sie nicht das Recht haben, eine bereits geöffnete Flasche nur deshalb zurückgehen zu lassen, weil Ihnen der Wein ganz einfach nicht schmeckt.

Was mich regelmäßig auf die Palme bringt, sind Kellner, die die unangenehme Angewohnheit haben, einem öfter als erwünscht nachzuschenken – und dabei womöglich auch noch das Glas bis zum Rand füllen, sodass der Wein nicht mehr ausreichend Platz hat, um sein Aroma zu entfalten. In einem solchen Fall tun Sie sämtlichen Weintrinkern einen Gefallen, wenn Sie höflich, aber bestimmt darauf hinweisen, was Sie von dieser Praxis halten.

Für jede Gelegenheit
der passende Wein

Was ich an Wein so liebe, ist seine Vielseitigkeit – und zwar beileibe nicht nur, was Farbe, Süße oder Alkohol- und Kohlensäuregehalt angeht. Ich liebe ihn wegen seines unglaublichen facettenreichen, fabelhaften Geschmacks, der von der Vielfalt der Rebsorten und der Anbaugebiete abhängt. Am meisten aber liebe ich dieses Getränk, weil es Weine für den Alltag und Weine für besondere Gelegenheiten gibt – und Weine, die nur dafür geschaffen wurden, um die wirklich einzigartigen Augenblicke des Lebens zu feiern. Ich kenne Leute, die ausschließlich erste Gewächse aus Bordeaux und Grand-Cru-Burgunder trinken, doch zu denen will ich auf gar keinen Fall gehören – meine ehrlichen Landweine würden mir schrecklich fehlen.

Es ist viel klüger, den zur entsprechenden Gelegenheit passenden Wein zu kredenzen, als seinen Gästen prinzipiell den teuersten Tropfen zu servieren, den man sich leisten kann. So wäre es beispielsweise eine regelrechte Verschwendung, bei einer Grillparty einen allzu edlen Wein aufzutischen. Für solche Gelegenheiten tut es ein rustikaler, würziger Roter allemal. Mit Malbec aus Mendoza, spanischem Garnacha, australischem Shiraz oder Weinen aus der Region Südliche Rhône beispielsweise sind Sie in so einem Fall bestens bedient. Für ein einfaches Abendessen würde ich einen einfachen, ehrlichen Wein von einem kleinen Winzer wählen, der noch auf Handarbeit setzt – einen Beaujolais, einen Muscadet oder einen jungen Chianti vielleicht. Bewirte ich echte Weinliebhaber, dann verwöhne ich sie gern mit einem richtig edlen Gewächs.

Publikumslieblinge

Damit sind Weine ohne herausragende Eigenschaften gemeint, deren Geschmack seit Jahren ein breit gefächertes Spektrum an Weintrinkern erfreut.

Gefällige Weißweine
- Mâcon Blanc
- Pinot Blanc (heißt in Deutschland Weißburgunder)
- Chablis
- Albariño aus Nordwestspanien (im nördlichen Portugal Alvarinho genannt)
- Weißweine aus Südtirol und Friaul
- Vermentino
- Falanghina aus der Nähe von Neapel
- Verdicchio von der italienischen Adriaküste
- Sauvignon Blanc und Chardonnay aus Neuseeland

Gefällige Roséweine
- Trockener Rosé aus der Provence

Gefällige Rotweine
- Neuseeländischer Pinot Noir
- Pinot Noir von der Mornington-Halbinsel (Australien)
- Côtes du Rhône

- Spanischer Garnacha
- Rotweine aus dem Douro-Gebiet (Portugal)
- Chianti Classico
- Sardischer Carignano del Sulcis
- Spitzen-Beaujolais aus den drei Weingebieten mit den klingendsten Namen: Fleurie, St.-Amour und Moulin à Vent

Edle Tropfen, die alle vom Hocker hauen

Die folgenden Namen sollten Insidern ein Begriff sein:
- Bollinger, Cristal, Dom Pérignon, Krug (Champagner)
- Chassagne-Montrachet, Mersault, Puligny-Montrachet (Weißburgunder)
- Trimbach Riesling Clos Ste. Hune (trockener Weißer aus dem Elsass)
- Equipo Navazos (Sherry)
- Niepoort (Portwein)
- Barbeito (Madeira)
- Châteaux Grand Puy Lacoste, Léoville Barton, Pichon Lalande, Pichon Baron, Vieux Châteaux Certan (rote Bordeaux-Weine)
- Domaines Dujac, Jacques-Frédéric Mugnier, Roumier, Rousseau (rote Burgunder)
- Château Rayas, Clos des Papes, Château Beaucastel (Châteauneuf-du-Pape)
- Massolino Vigna Rionda Riserva (Barolo)
- Vallana (Boca)

- Castell'in Villa, Poggio delle Rose Riserva
  (Chianti Classico)
- Gianni Brunelli, Le Chiuse di Sotto (Brunello)
- Passopisciaro Contrada (Sizilien)
- Allende, CVNE, López de Heredia (Rioja)
- Arnot Roberts, Au Bon Climat, Corison, DuMol,
  Frog's Leap, Littorai, Rhys, Ridge, Spottswoode
  (Kalifornien)
- Brick House, Cristom, Eyrie (Oregon)
- Leonetti, Quilceda Creek, Andrew Will, Woodward
  Canyon (Washington State)
- Cullen, Curly Flat, Grosset, Henschke, Moss Wood,
  S. C. Pannell, Penfolds Grange, Tolpuddle, Vasse Felix
  (Australien)
- Ata Rangi, Kumeu River (Neuseeland)

Wenn Sie Wein verschenken wollen

Greifen Sie beim Weinhändler nur dann nach der teuersten Flasche, wenn Sie wissen, dass der Beschenkte einen Weinkeller sein
Eigen nennt. Meist sind diese edlen Gewächse nämlich sehr jung
und müssen noch viele Jahre reifen.

Selbst Profis in dieser Branche lieben es, wenn man ihnen einen qualitativ hochwertigen Champagner mitbringt – entweder
einen der Luxusmarken wie Krug oder Dom Perignon oder eine
Flasche von einem der Hersteller, die ich in der oben angeführ-
ten Liste (»Edle Tropfen, die Sie vom Hocker hauen«) aufgezählt
habe.

Auch ein gänzlich unbekannter, aber interessanter Wein – etwa einer, der aus einer seltenen Rebsorte gekeltert wurde oder von einem vielversprechenden neuen Hersteller stammt (vorzugsweise einen, den Ihnen ein Profi empfohlen hat) – gibt ein hervorragendes Geschenk für einen Weinliebhaber ab.

Übrigens werden unter Weinprofis auch gern hochwertiger Balsamico-Essig und Olivenöl aus Erzeugerabfüllung verschenkt.

Meine Lieblings-Champagnerhersteller

Die folgenden Weingüter sind allesamt relativ klein und verarbeiten ausschließlich Trauben aus eigenem Lesegut. In Klammern steht das Dorf, in denen die Winzer ihrem Handwerk nachgehen.

- Raphaël et Vincent Bérèche (Ludes)
- Chartogne-Taillet (Merfy)
- Ulysse Collin (Congy)
- J. Dumangin (Chigny-lès-Roses)
- Egly-Ouriet (Ambonnay)
- Fleury (Courteron)
- Pierre Gimonnet (Cuis)
- Laherte Frères (Chavot-Courcourt)
- Larmandier-Bernier (Vertus)
- Marguet Père et Fils (Ambonnay)
- Pierre Moncuit (Le Mesnil-sur-Oger)
- Pierre Peters (Le Mesnil-sur-Oger)
- Jérôme Prévost (Gueux)

- Eric Rodez (Ambonnay)
- Suenen (Cramant)
- Vilmart (Rilly-la-Montagne)

Zwanzig Weine, die Ihr Herz höher schlagen lassen (und ein kleines Vermögen kosten)

Zu meiner eigenen Verblüffung habe ich festgestellt, dass ich auf meiner Webseite über hundert Weinen die Höchstpunktzahl (20 von 20 möglichen Punkten) gegeben habe. Hier die absolute Crème de la Crème, in der Reihenfolge, in der ich sie in meinen kühnsten Träumen bei einem Festgelage trinken würde.

- Equipo Navazos, No. 15 Macharnudo Alto, La Bota de Fino NV Sherry
- Bollinger, Champagner R.D. 1959
- Trimbach, Riesling Clos Ste. Hune 1990 Alsace
- Egon Müller, Scharzhofberger No. 10 Riesling Auslese 1949 Saar
- Domaine de la Romanée-Conti, Grand Cru 1978 Montrachet
- Domaine Leroy, Grand Cru 2012 Chambertin
- Domaine Armand Rousseau, Clos Saint-Jacques Premier Cru 1999 Gevrey-Chambertin
- San Guido, Sassicaia 1985 Bolgheri
- Petrus 1971 Pomerol
- Château Cheval Blanc 1947 Saint-Émilion
- Château Palmer 1961 Margaux

- Château Latour 1961 Pauillac
- Château Haut-Brion 1959 Graves
- Château Mouton Rothschild 1945 Pauillac
- Paul Jaboulet Aîné, La Chapelle 1961 Hermitage
- Penfolds, Grange 1953 South Australia
- Marques de Riscal 1990 Rioja
- Château d'Yquem 1990 Sauternes
- Quinta do Noval, Nacional 1963 Port
- Taylor's 1945 Port

WAS IHRE PRÄFERENZEN ÜBER SIE VERRATEN

Prosecco: heiter, extrovertiert, unkompliziert

————

Champagner: Schlemmer

————

Albarino, Rueda, Vermentino, Savagnin:
abenteuerlustiger Weißwein-Liebhaber

————

Fair-Trade-Weine: empathisch, einfühlsam

————

Wein in schweren Flaschen: Marketingopfer

————

Englische/kanadische Weine:
englischer/kanadischer Weinpatriot

————

Roter Bordeaux: konservativ, traditionalistisch

————

Kräftiger australischer Shiraz: Wetten, er steht am Grill?

————

Naturwein, Sherry: Hipster

————

Burgunder: Masochist
(die Fehlerquote ist erschreckend hoch)

————

**Hoffnungslos überteuerter Wein, der in einer
»Luxusampulle« o.ä. verkauft wird:** dämlicher Fatzke

Was darf Wein kosten?

Entgegen der allgemeinen Annahme stehen Preis und Qualität bei Wein in keinem direkten Zusammenhang. Viele Weine sind infolge inflationärer Nachfrage, allzu hoher Ansprüche oder aus purer Geldgier völlig überteuert – oder schlicht deshalb, weil ein Marketingfuzzi es für nötig hält, einen Kultwein in die Produktpalette aufzunehmen. Der Qualitätsunterschied zwischen den Weinen am oberen und denen am unteren Ende der Skala war nie kleiner, dafür war der Preisunterschied noch nie größer. Deshalb halten kluge Weinkäufer Ausschau nach Schnäppchen wie denen in der unten abgedruckten Liste.

Bei den ganz billigen Weinen fließt ein Großteil des Preises in Verpackung, Transport und Marketing, dazu kommen die landesüblichen Steuern und Zölle. Auf den Wein selbst entfällt nur ein winziger Bruchteil dessen, was Sie dafür ausgeben. Bei kostspieligeren Weinen wiederum treiben vor allem übersteigerte Ambitionen den Verkaufspreis in die Höhe. Aus diesem Grund sind Sie, was das Preis-Leistungs-Verhältnis angeht, mit Weinen, die zwischen 10 und 25 Euro kosten, am besten beraten. Hier bekommen Sie in etwa die Qualität, für die Sie bezahlen.

Schnäppchen

Es gibt Hunderte Weine, die unter Wert verkauft werden. Ich habe mich bei der hier getroffenen Auswahl auf eine Handvoll Hersteller konzentriert, die sich dank ihrer guten Vertriebspraxis von der

Masse abheben. Der Name des Weinguts ist jeweils kursiv gedruckt. Weitere Informationen finden Sie auf JancisRobinson.com

- Bordeaux-Weine von sogenannten Petits-Châteaux-Winzern (also die unbekannteren): *Châteaux Belle-Vue* oder *Reynon*
- Einige Languedoc-Roussillon-Weine wie etwa *Domaine de Cébène* oder *Domaine Jones*
- Weißweine aus Südafrika: *A. A. Badenhorst* oder *Chamonix*
- Rotweine – und auch immer mehr Weißweine – aus Chile, etwa von *Clos des Fous* oder *De Martino*
- Loire-Weine allgemein, insbesondere Muscadet von *Bonnet-Huteau* oder *Domaine de l'Ecu*
- Beaujolais: *Julien Surnier* oder *Château Thivin*
- Côtes du Rhône: *Domaine Alary Daniel & Denis* oder *Clos du Caillou*
- Spanischer Garnacha von *Capçanes* oder *Jiménez Landi*
- Portugiesische Weine von *Quinta do Crasto* oder *Esporão*

Überteuerte Weine

- hochgelobte rote Bordeaux-Weine, die sogenannten »ersten Gewächse«
- die Grand Crus der bekanntesten Kellereien aus der Region Burgund (sowohl Rote als auch Weiße)
- kalifornischer »Kult-Cabernet«
- viele Champagnermarken
- der Großteil aller zum Kultwein hochstilisierten Gewächse

Weine, für die ich gern etwas tiefer in die Tasche greife

- Edle Weine, die jahrelang unter idealen Bedingungen reifen konnten (sprich, bei gleichbleibenden, relativ niederen Temperaturen) – bei derartigen Weinen ist die Provenienz entscheidend.
- Ausgesprochene Raritäten (also keine Premier-Cru-Bordeaux-Weine, von denen alljährlich mehrere hunderttausend Flaschen produziert werden).
- Weine, deren Verkaufserlös an eine seriöse Wohlfahrtsorganisation geht.

ZEHN VERBREITETE IRRTÜMER ZUM THEMA WEIN

1. **Je teurer die Flasche, desto besser der Wein**
   Weine mit dem besten Preis-Leistungs-Verhältnis kosten rund 10 bis 25 Euro. Ist der Wein billiger, so bleibt nach Abzug von Fixkosten und Steuern in der Regel nicht genug für den Winzer übrig, und darunter leidet oft die Qualität. Wer mehr als 25 Euro ausgibt, riskiert, dass er für Größenwahn, »Positionierung« oder die erratischen Preisschwankungen auf dem Weinmarkt bezahlt.

2. **Je schwerer die Flasche, desto besser der Wein**
   Aus unerfindlichen Gründen wurden dickwandige Flaschen von einigen Weinherstellern (insbesondere in spanischsprachigen Ländern) als Vermarktungsinstrument eingesetzt, was für mich jedoch bloß eine Verschwendung natürlicher Ressourcen ist. Zum Glück sind die meisten Spitzenwinzer so vernünftig, auf diese Praxis zu verzichten.

3. **Weine aus der »Alten Welt« werden immer besser schmecken als Weine aus der »Neuen Welt«**
   Es gibt überall gute und schlechte Weine.

4. **Zu rotem Fleisch trinkt man Rotwein, zu Fisch Weißwein**
   Lesen Sie dazu das Kapitel »Essen und Wein kombinieren« (Seite 47–52).

5. **Bei richtig guten Weinen ist der Flaschenboden nach innen gewölbt**
   Die Einbuchtung im Flaschenboden dient oft nur Marketingzwecken.

6. **Rotwein ist stärker als Weißwein**
   Heutzutage enthalten viele Rotweine nur zwölf Prozent Alkohol, wenn nicht sogar weniger.

7. **Alle Weine werden mit der Zeit besser**
   Lesen Sie dazu den Abschnitt »Welche Weine müssen reifen?« (ab Seite 88).

8. **Im Restaurant darf man den bestellten Wein probieren, um festzustellen, ob er einem schmeckt**
   Lesen Sie dazu den Abschnitt »Restaurantrituale« auf Seite 53.

9. **Roséweine und süße Weine sind nur etwas für Frauen**
   Ach, bitte.

10. **Jeder Wein wird besser, wenn man ihn nach dem Öffnen »atmen« lässt**
    Lesen Sie dazu den Abschnitt »Belüften und Dekantieren« (Seite 85).

Die essentielle »Hardware«

Gläser

Das Thema Weingläser muss nicht unbedingt kompliziert sein. Ein Weinglas sollte sich lediglich tulpenförmig nach oben verjüngen, damit man den Wein problemlos darin schwenken kann. Die solcherart maximierte Oberfläche ermöglicht es den »Geschmacksbotschaften« des Weins, sich in dem Luftraum zwischen dem Weinpegel und dem oberen Glasrand zu sammeln. Es ist also sinnvoll (und hat keineswegs mit Geiz zu tun), das Glas bloß zur Hälfte oder sogar nur zu einem Drittel zu füllen, damit das Bukett des Weins richtig zur Geltung kommen kann. Gläser mit einem Gesamtvolumen von 250 bis 350 Milliliter sind ideal. Schenkt man die gemeinhin übliche Menge (etwa 120 Milliliter) ein, so haben die diversen Aromen nach dem Schwenken reichlich Platz, um sich zu entfalten.

Riedel-Standardglas

Zalto Universal

Der Stiel erleichtert das Schwenken, das im Übrigen nicht allzu kräftig ausfallen muss, sonst wirkt es albern. Ein Weinglas sollte stets nur am Stiel angefasst werden, damit sich die Temperatur des Weins (siehe »Warum es auf die Temperatur ankommt«, Seite 82), die von allergrößter Bedeutung ist, nicht durch die Handwärme erhöht. Weingläser ohne Stiel sind durchaus in Ordnung für ein Picknick, und Tumbler kommen häufig in Lokalen zum Einsatz, um den Gästen zu signalisieren, dass sie sich nicht in einem Nobelrestaurant befinden, sondern in einer coolen Bar – doch ich persönlich bevorzuge Gläser mit Stiel.

Entgegen der Behauptungen einiger Glashersteller benötigen Sie nicht mehr als eine einzige Sorte Weinglas. Es ist vollkommen unlogisch, einen Weißwein in einem kleineren Glas zu servieren als einen Roten. Zudem gelangen selbst Profis zunehmend zu der Einsicht, dass sogar Schaumwein, Portwein und Sherry am besten in genau den Gläsern zur Geltung kommen, aus denen auch alle anderen Weine getrunken werden.

Champagnerschale   Sektflöte

Früher wurde Champagner gern in flachen Schalen serviert, die derzeit eine Renaissance erleben, doch je höher (und schmaler) das Glas ist, desto länger sprudelt sein Inhalt, weil aufgrund der kleineren Oberfläche weniger Kohlensäure entweichen kann.

Weingläser sollten möglichst unverziert und farblos sein – auch die Stiele. Wuchtiges, graviertes Glas ist eher ein Hindernis.

Wenn etwas das Geschmackserlebnis beeinträchtigen kann, dann die Glasstärke. Je dünner der Rand und je schlichter das Glas, desto unmittelbarer werden Sie den Wein erleben. Aus diesem Grund lassen Profis tunlichst die Finger von getönten, geschliffenen oder sonst irgendwie auffällig gestalteten Gläsern. Ich verwende im Alltag am liebsten das einfachste Modell von Riedel, dem weltweit führenden Glashersteller, und zu besonderen Anlässen kommt das filigrane, federleichte Modell »Universal« von Zalto zum Einsatz. Beide sind zum Glück spülmaschinenfest.

Verpackung – Flasche, Beutel, Dose oder Getränkekarton?

Wein wird seit Jahrhunderten in Flaschen abgefüllt, weil Glas ein geschmacksneutrales, haltbares Material ist. Dafür sind Glasflaschen schwer und zerbrechlich, und sowohl für Herstellung und Transport als auch für das Recycling werden beträchtliche Mengen an Rohstoffen verbraucht. Ich weiß, es wird so einigen sauer aufstoßen, wenn ich das sage, aber Wein, der innerhalb weniger Monate nach der Abfüllung getrunken wird, kann ohne Weiteres in Getränkekartons, Beutel, Dosen oder sogar Plastikflaschen abgefüllt werden, die allesamt bedeutend leichter sind. Da je-

doch in den meisten Fällen die diversen Verpackungsmaterialien nach ein paar Monaten mit dem Wein reagieren, eignet sich für Weine, die noch reifen sollen, Glas definitiv am besten.

Eine weitere bemerkenswert umweltfreundliche Entwicklung ist die Tatsache, dass sich Weine, die statt in kleine Flaschen in sogenannte Weinschläuche, Fässer oder andere, bedeutend voluminösere Behältnisse abgefüllt sind, zusehends großer Beliebtheit erfreuen. Es gab in dieser Hinsicht enorme Verbesserungen, sodass Wein inzwischen nicht mehr bloß tage-, sondern wochenlang frisch bleibt. Natürlich ist auch diese Art der Verpackung nicht zweckdienlich, wenn der Inhalt noch jahrelang reifen soll, doch beim Großteil der Weine, die heutzutage getrunken werden, ist nicht das Geringste dagegen einzuwenden.

Verschlusssachen

Flaschen müssen verschlossen werden, und kleine Zylinder aus Korkrinde haben uns jahrhundertelang hervorragende Dienste geleistet, sind sie doch geschmacksneutral und haltbar und gestatten eine minimale Sauerstoffzufuhr, damit der Wein reifen kann. Doch gegen Ende des vergangenen Jahrhunderts wurden die Korkenhersteller (vor allem in Portugal) schlampig, was Qualitätseinbußen zur Folge hatte. Seither wurden Weinproduzenten immer häufiger mit dem Problem des Korkschmeckers konfrontiert. Von einem Korkschmecker spricht man, wenn der Wein einen unappetitlichen Schimmelgeruch verströmt (siehe Seite 41). Am schlimmsten ist ein kaum merklicher Korkton, der nur dem Winzer auffällt (etwa weil der Wein dadurch seiner fruchtigen Note beraubt wird), für Otto Normalverbraucher dagegen nicht so offensichtlich ist, dass er es wagen würde, sich deswegen zu beschweren.

In der Folge stiegen immer mehr Weinhersteller (insbesondere australische und neuseeländische, die das Gefühl hatten, mit den allerschlechtesten Korken beliefert zu werden) auf alternative Verschlüsse um – auf synthetisch hergestellte Korken und Schraubverschlüsse etwa, die so konstruiert werden können, dass je nach Bedarf winzige Mengen Sauerstoff in die Flasche gelangen können. Daraufhin gaben sich die Korkenproduzenten wieder etwas mehr Mühe, doch wie es scheint, war es bereits zu spät, um die Abnehmer auf der gegenüberliegenden Seite des Erdballs zurückzugewinnen. Noch können wir nicht mit Sicherheit sagen, wie sich Weine in Flaschen mit Schraubverschluss im Laufe von Jahrhunderten entwickeln, aber es gab immerhin bereits Experimente über Zeitspannen von ein oder zwei Jahrzehnten, bei denen die unter Schraubverschluss gereiften Weine von den Degustatoren häufig besser bewertet wurden als ihre unter Korken gereiften Pendants.

Wie man eine Weinflasche öffnet

Korkenfans bemängeln, Schraubverschlüsse seien unromantisch, und machen sich zudem Gedanken über die wichtige Rolle der Korkeichenwälder im weltweiten Ökosystem. Mir dagegen kam es seit jeher eigenartig vor, dass beim Öffnen einer Flasche Wein ein Werkzeug zum Einsatz kommt, das sonst zu absolut nichts nützlich ist. Ich spreche natürlich vom Korkenzieher.

Gut möglich, dass ich in dieser Angelegenheit nicht ganz unvoreingenommen bin, weil der Schraubverschluss ein wahrer Segen ist, wenn man wie ich häufig ein Dutzend Flaschen oder mehr auf einmal öffnen muss. An sich liebe ich den »Screwpull« und alle anderen Hebelkorkenzieher, mit denen sich eine Flasche mit zwei einfachen Handbewegungen entkorken lässt, doch die kosten gern mal 70 Euro oder noch mehr. Die wichtigsten Merkmale eines guten Korkenziehers sind eine scharfe Spitze und eine Wendel mit Seele, also eine Spirale, die sich um einen Hohlraum in der Mitte des Korkenziehers windet – sonst würde der Korken lediglich durchbohrt und ließe sich nicht herausziehen. Beachten Sie dazu auch die Abbildungen auf der nächsten Seite.

Wie man knallende Sektkorken vermeidet

Der Druck in einer Flasche Schaumwein kann genauso hoch sein wie der im Inneren eines Autoreifens, deshalb ist es von größter Wichtigkeit, beim Öffnen darauf zu achten, dass der Korken nicht unkontrolliert aus der Flasche schießt. Nehmen Sie behutsam den Drahtkorb ab, halten Sie dabei den Korken mit dem Daumen im Flaschenhals. Drehen Sie nun die Flasche vorsichtig um den Korken, wobei Sie Letzteren weiterhin festhalten, bis er sich sanft aus dem Flaschenhals löst. Um sicherzugehen, dass der Korken nicht zum gefährlichen Geschoss wird, sollte Schaumwein vor dem Öffnen gut gekühlt und möglichst wenig geschüttelt werden. Von der Rennfahrermethode rate ich dringend ab.

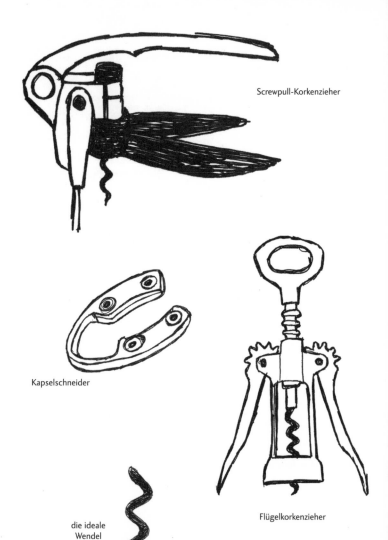

Screwpull-Korkenzieher

Kapselschneider

die ideale
Wendel

Flügelkorkenzieher

Andere Weine

Schaumweine

Wenn Trauben zu Wein vergären, geben sie Kohlendioxid ab (siehe Seite 11), jenes harmlose Gas, das man unter anderem in Mineralwasser und Limonaden findet – und eben auch in Schaumwein.

Die Bläschen können auch mittels Karbonisierung in den Wein gelangen, das heißt, das Kohlendioxid wird einfach in den Wein gepumpt, wie es beispielsweise bei Cola-Getränken gemacht wird.

Eine raffiniertere Methode, um den Kohlendioxidgehalt länger zu erhalten, ist das Tankgärverfahren (auch Großraumgärung, *Méthode Charmat* oder *Cuve-Close*), bei dem der Wein mit Zucker und Hefe versetzt wird, um eine zweite Gärung zu bewirken. Das dabei entstehende Kohlendioxid verbleibt im Wein, der sodann unter Druck abgefüllt wird. So wird in Norditalien der berühmte Prosecco hergestellt, und auch die meisten anderen günstigen Schaumweine entstehen auf diese Art und Weise.

Eine bedeutend aufwendigere Prozedur ist die Produktion von Cava (Schaumwein aus Spanien) und Champagner (Schaumwein aus der Champagne im nordwestlichen Frankreich). Bei der sogenannten **traditionellen Methode** findet die zweite Gärung nicht im Fass statt, sondern erst (nach der Abfüllung) in der jeweiligen Flasche. Bei diesem Verfahren gewinnt der Wein an Komplexität, weil die abgestorbenen Hefezellen

monatelang, wenn nicht sogar viele Jahre in der Flasche verblei-
ben. Diese wird schließlich auf den Kopf gestellt, damit das dabei entstandene Sediment in den Hals sinken kann, von wo es
dann in gefrorenem Zustand unter Druck extrahiert wird. Danach werden die Flaschen noch einmal aufgefüllt, verschlossen
und mit der sogenannten Agraffe, also dem Drahtgestell, verse-
hen, damit der Korken auch an Ort und Stelle bleibt. Champagner entsteht, genau wie der Großteil seiner Imitationen auf der
ganzen Welt, auf der Basis der Rebsorten Chardonnay und
Pinot, wobei die roten Pinot-Trauben sehr vorsichtig gepresst
werden müssen (damit der Most möglichst nicht mit den dunklen Schalen in Berührung kommt).

Weine mit höherem Alkoholgehalt

Eine weitere Untergruppe sind die sogenannten **aufgespriteten
Weine,** die mit neutralem Weinbrand versetzt werden und infol-
gedessen einen höheren Alkoholgehalt aufweisen. **Portwein** etwa
kommt aus dem Douro-Tal im nördlichen Portugal und enthält
zwischen 18 und 20 Prozent Alkohol, was zum Großteil auf den
hochprozentigen Branntwein zurückzuführen ist, den man dem
gärenden Most beimengt, und zwar lange bevor der gesamte
Fruchtzucker der vor Ort angebauten Trauben zu Alkohol umgewandelt ist. Infolge der ungewöhnlich heißen Sommer im
Douro-Tal sind die meisten jungen Portweine von einem kräftigen Rubinrot. **Sherry** ist der zweite weltberühmte aufgespritete
Wein. Er wird aus hellen Palomino-Trauben hergestellt, die in
der Gegend um Jerez in Südspanien wachsen, und verdankt sei-

nen charakteristischen Geschmack vor allem der Fasslagerung und dem Verschnitt mit Weinen unterschiedlicher Jahrgänge. Es gibt viele Arten von Sherry, die sich durch Zeitpunkt und Art des Aufspritens sowie durch die Reifezeit voneinander unterscheiden. Meine Favoriten sind der helle Fino und der noch hellere Manzanilla. Beide enthalten lediglich 15 Prozent Alkohol und können bedenkenlos wie jeder andere trockene Wein getrunken werden. **Madeira** wird auf der gleichnamigen Insel im Atlantik produziert und kann sowohl säurebetont und herb als auch üppig und süß sein (nicht selten auch beides zugleich). Das Ungewöhnlichste an ihm ist die Tatsache, dass er sich selbst in einer angebrochenen Flasche ewig hält.

Süßweine

Es gibt zahlreiche Möglichkeiten, **Süßweine** herzustellen. Die Süße kann beispielsweise daher rühren, dass die Gärung gestoppt wurde, ehe der gesamte Zucker in Alkohol umgewandelt wurde (siehe Seite 12). Sie kann aber auch auf die Beimengung von (preiswertem) süßem Traubenkonzentrat zurückzuführen sein. Man kann die Trauben trocknen, um ihren Zuckergehalt zu steigern, oder sie auch erst in gefrorenem Zustand ernten (Eiswein) und das Eis extrahieren. Oder man verwendet Trauben, auf denen sich die sogenannte Edelfäule gebildet hat, hervorgerufen durch den bereits erwähnten Schimmelpilz namens Botrytis cinerea. In diesem Fall setzt die Gärung schon vor der Lese ein und konzentriert den Zuckergehalt in den Trauben. Süße Weine sind zurzeit nicht unbedingt groß in Mode, dabei ist gegen einen etwas höheren Zuckergehalt nicht das Geringste einzuwenden. Einige der exquisitesten Weine der Welt sind süß. Es ist alles eine Frage der Balance: Wenn der Wein zum Ausgleich genügend Säure aufweist, hat die Süße durchaus ihren Reiz und wird nicht als aufdringlich empfunden.

Bio, öko, naturrein

Manche »besonderen« Weine werden nach der Art ihrer Herstellung definiert. **Bio-Weine** werden aus Trauben gekeltert, deren Rebstöcke nur einem Minimum an agrochemischen Mitteln ausgesetzt wurden. Die **biodynamische Weinerzeugung** ist sogar noch anspruchsvoller – hier werden die Stöcke mit homöopathischen Dosen von allerlei naturbelassenen Düngemitteln und Präparaten mit seltsamen Bezeichnungen behandelt, wobei sich der Weinbauer an den Mondphasen orientiert. Das mag total verrückt klingen, aber es kommen einige ziemlich spektakuläre Weine dabei heraus, und die Weinstöcke wirken bemerkenswert gesund, vielleicht weil dabei jeder einzelnen Pflanze eine ausgesprochen sorgfältige Pflege zuteil wird.

Total angesagt sind zurzeit die sogenannten **Naturweine** oder **naturreinen Weine**. Es herrscht ein ausgeprägter Kameradschaftsgeist unter Erzeugern, die sich beim Anbau der Trauben mehr oder weniger dem Bio-Prinzip verschrieben haben und weitgehend ohne kellertechnische Eingriffe auskommen, ja zuweilen ungewöhnlicherweise sogar auf eine Zugabe von Sulfiten verzichten. Dabei ist Schwefel schon seit der Römerzeit ein weit verbreitetes Antioxidations- und Desinfektionsmittel. Der Begriff »Naturwein« ist nicht gesetzlich geregelt, daher gibt es in diesem Bereich enorme Qualitätsunterschiede.

Mittlerweile ist ohnehin ein massiver Rückgang bei der Verwendung von Chemikalien sowohl im Weinbau als auch bei der Verarbeitung der Trauben zu verzeichnen, jedenfalls verglichen mit den riesigen Mengen, in denen sie noch mehrere Jahrzehnte nach dem Ende des Zweiten Weltkriegs zum Einsatz kamen. Ich persönlich bin ja sehr für eine verpflichtende Auszeichnung sämtlicher Inhaltsstoffe auf dem Etikett, wie das bei anderen Lebensmitteln längst der Fall ist.

Im Allgemeinen ist mir eine Vermarkung auf der Basis von Prädikaten wie »Bio-«, »Öko-« oder »Naturwein« suspekt, doch es gibt zweifellos in jeder dieser Kategorien herausragende Exemplare. Ich bezweifle zwar, dass sich der Geschmack solcher Weine merklich von »normalen« Weinen unterscheidet, muss allerdings einräumen, dass unter biologisch-dynamischen Kriterien erzeugte Weine auf mich gelegentlich besonders lebendig und dynamisch wirken. Andererseits outen sich so manche Naturweine leider nur allzu deutlich als solche – Stichwort Flaschengärung, Cidergeschmack oder gar leichtes Hamsterkäfigaroma –, aber sie werden immer besser.

TOP-TEN-TIPPS

Suchen Sie sich einen unabhängigen
Weinhändler Ihres Vertrauens.

————

Eine einzige Weinglassorte genügt vollauf.
Aus Allround-Gläsern kann man getrost sowohl Rot-
als auch Weißwein und sogar Sekt oder gespritete
Weine trinken.

————

Bei Weinvorlieben gibt es kein Richtig oder Falsch.
Ich kann Ihnen erklären, wie Sie ein Maximum an Genuss
aus einem Glas Wein herausholen, aber ob Ihnen ein Wein
schmeckt oder nicht, entscheiden nur Sie allein
(und nicht irgendein selbst ernannter Weinexperte
aus Ihrem Bekanntenkreis).

————

Füllen Sie das Glas maximal bis zur Hälfte.
Auf diese Weise können Sie den Wein gefahrlos
im Glas schwenken und sich an seinen
Aromen erfreuen.

————

Wein kauft man in Kisten, nicht in Kästen,
und es heißt »Korkenzieher« und
nicht »Flaschenöffner«.

Selbst sehr gute Weine werden inzwischen oft
in Flaschen mit Schraubverschluss abgefüllt, weil sowohl Hersteller
als auch Konsumenten gründlich die Nase voll haben von
minderwertigen Korken, die einen Wein ruinieren können.

———————

Hüten Sie sich, Süßweine generell mit Verachtung zu strafen,
denn es gibt unter ihnen einige fabelhafte Vertreter. Mit süßen
weißen Spitzenweinen aus Bordeaux (Sauternes, Barsac) sind
Sie weit besser beraten als mit ihren roten Pendants.

———————

Einmal aus der Mode gekommene Weine gehören häufig zu
den besten und zugleich erschwinglichsten Weinen der Welt,
darunter fast alle gefeierten Portweine und Sherrys.

———————

Die Temperatur spielt eine enorm wichtige Rolle.
Ist der Wein zu kalt, kann er seinen Geschmack nicht entfalten,
ist er zu warm, verliert er an Struktur.

———————

Welcher Wein zu welchen Speisen passt,
hängt nicht so sehr von seiner Farbe ab als
vielmehr von seinem Gewicht.

Vom richtigen Umgang mit Wein

Warum es auf die Temperatur ankommt

Das Wichtigste an einem Glas Wein ist natürlich der Wein selbst. Wie ich bereits auf Seite 68 erklärt habe, spielt das Glas ebenfalls eine Rolle, aber weit wichtiger ist die Temperatur, mit der der Wein serviert wird. Sie können den Geschmack eines Weins deutlich verbessern – oder verschlechtern –, indem Sie seine Temperatur verändern.

Je wärmer ein Wein ist (bis etwa 20 Grad Celsius), desto mehr Moleküle gibt er ab und desto mehr Aroma wird er verströmen. Dementsprechend wird sein Duft weniger intensiv wirken, je kälter der Wein ist. Als ich noch studierte, war es durchaus hilfreich, eine billige weiße Plörre so brutal herunterzukühlen, bis ihr Geruch fast gar nicht mehr wahrnehmbar war, denn damals bestand die Hälfte aller Weine in Großbritannien zu einem erschreckenden Teil aus Chemie. Heute dagegen berauben Sie einen Weißwein, wenn Sie ihn zu kalt werden lassen, womöglich seiner herausragendsten Eigenschaft, nämlich seines Aromas. Allerdings sind bestimmte Rebsorten wie Sauvignon Blanc und Riesling aromatischer als andere und vertragen deshalb etwas mehr Kühle als beispielsweise Chardonnay, Pinot Blanc oder Pinot Gris, die schon von Natur aus nicht so stark duften.

Ein weiterer Faktor ist der sogenannte Körper des Weins. Je körperreicher der Wein, desto mühsamer ist es für die Aromamoleküle, sich von der Oberfläche zu lösen. Damit sich die Expressivität vollmundiger Weißweine (etwa eines saftigen Chardonnay oder diverser Rhône-typischer Exemplare) voll entfalten kann, sollten sie etwas wärmer serviert werden als leichte Weißweine wie beispielsweise Riesling, Muskateller und generell alles, was weniger als 13 Prozent Alkohol enthält. Das Gleiche gilt für Rotweine. Leichte Rote wie Beaujolais, Lambrusco und der Großteil aller heutzutage weltweit produzierten Rotweine mit geringem Alkoholgehalt kommen geschmacklich am besten zur Geltung, wenn man sie bei etwa zwölf Grad Celsius serviert.

Vielen körperreichen Rotweinen dagegen tut man keinen Gefallen, wenn man sie zu kalt serviert. Dies liegt an den Gerbstoffen, deren herbe Note bei jungen Roten ohnehin bereits kräftig zutage tritt und bei kühlen Temperaturen noch zusätzlich akzentuiert wird. Einem jugendlichen Rotwein mit relativ hohem Tanningehalt kann man etwas unter die Arme greifen, indem man ihn erst trinkt, wenn er sich auf etwa 20 Grad erwärmt hat. Dadurch treten die Tannine ein klein wenig in den Hintergrund. Wärmer sollte er allerdings nicht werden, sonst beginnt das kostbare Aroma zu verdunsten und verflüchtigt sich, und das war's dann mit dem vielschichtigen Bouquet.

Die ideale Serviertemperatur für weißen Burgunder aus Chardonnay-Trauben, die häufig sehr vollmundig ausfallen, liegt bei etwa 15 Grad Celsius, bemerkenswert nah an der Serviertemperatur für relativ leichte rote Burgunder aus Pinot-Noir-Trauben.

Wie man einen Wein auf die richtige Temperatur bringt

Die einfachste Methode, um eine Flasche herunterzukühlen, ist, sie ein paar Stunden im Kühlschrank zu deponieren. Mehr als ein paar Tage sollte man einen Weißwein nicht im Kühlschrank lagern, denn auf Dauer kann er dadurch an Lebendigkeit und Geschmack einbüßen. Andererseits habe ich keinerlei Bedenken, eine Flasche in das Tiefkühlfach zu legen, wenn sie rasch kalt werden soll – allerdings maximal eine Stunde lang. Ist der Wein länger als eine Stunde Temperaturen unter null Grad ausgesetzt, so gefriert er womöglich und drückt den Korken aus der Flasche. Um den Gefrierpunkt zu berechnen, dividieren Sie ganz einfach den Alkoholgehalt des betreffenden Weins durch zwei und setzen ein Minus vor das Resultat. Eine gute Alternative sind Kühlmanschetten, die im Tiefkühlfach aufbewahrt werden. Noch schneller geht es meist ganz altmodisch mit einem schlichten Eiskübel, wobei selbst Profis den Eimer oft lediglich mit Eiswürfeln füllen, obwohl es viel effektiver ist, eine Mischung aus Wasser und Eiswürfeln zu verwenden, denn auf diese Weise kommt praktisch die gesamte Flaschenoberfläche mit dem Kühlmittel in Berührung. Allerdings tropft das Wasser dann beim Einschenken von der Flasche. Wenn ich einen Wein von durchschnittlicher Qualität trinke, der mir zu warm ist, kann es schon mal vorkommen, dass ich mir mit einem Eiswürfel behelfe, vorausgesetzt, das Eis ist sauber und geschmacksneutral.

Um einen Wein zu wärmen, genügt es für gewöhnlich, die Flasche für etwa eine Stunde bei Raumtemperatur stehen zu lassen. Falls es eilt, können Sie mit Ihrer Körperwärme nachhelfen, indem Sie die Flasche eine Weile an sich drücken. Oder Sie spülen einen Dekanter mit heißem Wasser aus und schwenken den Wein anschließend ein wenig darin. Am effektivsten ist es, den Wein in ein Glas einzuschenken und ihn mit den Händen zu wärmen.

Hat der Wein die perfekte Trinktemperatur erreicht, kann es in sehr warmen Räumen oder an heißen Sommertagen sinnvoll sein, die geöffnete Flasche in einen Vakuumkühler zu stellen. Diese sind so konstruiert, dass die Temperatur in ihnen konstant bleibt.

Belüften und Dekantieren

Für viele Menschen gleicht das Entkorken einer Flasche Wein einer religiösen Zeremonie. Es gibt allerlei obskure Regeln, die festlegen, wie lange der jeweilige Wein atmen sollte, ehe man ihn serviert. Wie so einige Weinwissenschaftler bezweifle ich zwar, dass die geringe Sauerstoffmenge, die durch die kleine Öffnung eines Flaschenhalses bis zum Wein vordringt, einen großen Unterschied macht, aber es ist nicht von der Hand zu weisen, welch ungeheuren Einfluss die Luftzufuhr auf einen Wein im Allgemeinen haben kann. Ein Zuviel kann einem sehr alten, anfälligen Wein durchaus den Garaus machen, bei einem jungen Wein dagegen kann man mit einem wohldosierten Maß an Belüftung bis zu einem gewissen Grad den Reifungsprozess imitieren. Sowohl sehr tanninreiche, adstringierende junge Rote als auch dichte, verschlossene junge Weiße (insbesondere Burgunder) können bedeutend zugänglicher werden, wenn sie erst ein oder zwei Stunden geatmet haben – oder sogar noch länger, etwa wenn es sich um einen jungen Barolo oder einen sehr eleganten roten Bordeaux handelt, bei dem Tannine und Bouquet eine große Rolle spielen.

Die effektivste Methode der Belüftung ist das Dekantieren – ein Ausdruck, der auf den ersten Blick abschreckend hochgestochen wirkt, aber er bedeutet lediglich, dass man den Wein aus der Flasche in ein sauberes Gefäß umfüllt – idealerweise in eines aus neutralem Glas. Ein Glaskrug ist im Grunde vollkommen ausreichend, wobei der Wein in einem Dekanter etwas besser atmen kann, weil er der Luft noch mehr »Angriffsfläche« bietet. Nach meiner Erfahrung kann man Dekanter oft sehr günstig beim Trödler oder auf Flohmärkten erstehen.

Die meisten sind so gestaltet, dass sie genau den Inhalt einer Dreiviertelliterflasche Wein aufnehmen können, es gibt aber auch größere Modelle für Magnumflaschen mit einem Fassungsvermögen von eineinhalb Litern. Sie können Ihren Wein beim Atmen unterstützen, indem Sie ihn mit Schwung in den Dekanter gießen. Der gleiche Effekt stellt sich ein, wenn man den Wein im Glas schwenkt.

Ein weiteres Argument für das Dekantieren ist, dass der Wein dabei von etwaigen Ablagerungen getrennt werden kann, die sich im Laufe der Zeit gebildet haben könnten. Dieser Bodensatz sieht nicht nur recht unappetitlich aus, er kann auch bitter schmecken. Bei preiswerten Massenweinen, die vor der Abfüllung aggressiv geschönt wurden (etwa durch Filterung), finden sich eher selten Ablagerungen. Diese entstehen, wenn die Inhaltsstoffe, allen voran Tannine und Pigmente, miteinander reagieren, und kleben an der Innenseite der Flasche oder sinken, falls sie aufrecht steht, meist auf den Boden. Um den Wein vom Bodensatz zu trennen, stellen Sie die Flasche am besten etwa eine Stunde aufrecht hin und gießen den Inhalt dann vor einer starken Lichtquelle oder einer vorsichtig platzierten Kerze in einen Dekanter um.

Wollen Sie mehrere Weine servieren und sichergehen, dass es nicht zu Verwechslungen kommt, können Sie »doppelt dekantieren«: Dabei wird der Wein zunächst in einen Krug gegossen, um ihn vom Bodensatz zu trennen, und anschließend wieder in die (zuvor sorgfältig ausgespülte) Flasche gefüllt. Sorgen Sie dafür, dass der Wein dabei ein Maximum an Sauerstoff abbekommt.

Angebrochene Flaschen

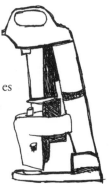

Da die Luftzufuhr über einen längeren Zeitraum (eine Woche und mehr) junge Weine ihres fruchtigen Geschmacks berauben kann, ist es sinnvoll, dafür zu sorgen, dass der in der Flasche verbliebene Rest mit möglichst wenig Sauerstoff in Berührung kommt. Dies kann bewerkstelligt werden, indem man ein neutrales Gas in den Kopfraum zwischen Flüssigkeit und Verschluss pumpt. Robuste Weine kön-

Coravin

nen auch einfach in eine kleinere Flasche umgefüllt werden – die dafür benötigten Behältnisse können Sie kostengünstig kaufen. Mit Gerätschaften, die ein Vakuum erzeugen und die Luft aus einer offenen Flasche Wein saugen, hatte ich nicht viel Glück.

Da Wärme die Oxidation fördert, hält sich Wein in einer angebrochenen Flasche länger, wenn Sie ihn in den Kühlschrank stellen. Vergessen Sie aber nicht, die Flasche rechtzeitig herauszunehmen, falls es sich um einen Roten handelt.

Für alle, die mit einer Dreiviertelliterflasche Wein überfordert sind, gibt es neuerdings ein sehr praktisches Werkzeug, das die Herzen wahrer Wein-Aficionados höher schlagen lassen dürfte: den Coravin, erfunden von Greg Lambrecht, einem amerikanischer Mediziner mit einer Vorliebe für Wein, den es ärgerte, dass eine »normale« Flasche Wein für ihn allein einfach zu viel war – seine Frau trinkt keinen Alkohol. Der Coravin kostet um die 350 Euro und ermöglicht es, einer Flasche beliebig viel oder wenig Flüssigkeit zu entnehmen, und zwar mittels eines Röhrchens, das so dünn ist, dass sich der Korken danach von selbst wieder verschließt. Der dabei in der Flasche entstehende Hohlraum wird mit einem neutralen Gas gefüllt, um zu verhindern, dass der verbleibende Wein mit einem schädlichen Maß an Sauerstoff in Berührung kommt.

Welche Weine müssen reifen?

Ich weiß, es behaupten immer alle, dass Wein mit den Jahren besser wird, doch das trifft nur auf knapp zehn Prozent aller heute produzierten Weine zu. Die meisten Weine – insbesondere Roséweine und der Großteil der Weißen, aber auch so einige Rote der einfachen Sorten und Marken (die auf dem Massenmarkt am billigsten über den Tresen gehen) – sollten innerhalb eines Jahres nach der Abfüllung getrunken werden. Nur die edelsten, teuersten Gewächse (vor allem jene aus Frankreich und Italien) sind dafür geschaffen, viele Jahre oder sogar Jahrzehnte gelagert zu werden. Und selbst die verderben zuweilen, weil die Konsumenten dazu tendieren, sich ihre allerbesten Tropfen allzu lange für einen ganz besonderen Menschen oder eine ganz besondere Gelegenheit aufzuheben. Doch das Gros der interessanteren Weine – die, über die ich in diesem Buch schreibe – können infolge einer gewissen Reifezeit in der Flasche an Faszination und Komplexität gewinnen.

Dies liegt unter anderem daran, dass der Prozess der Abfüllung für viele Weine, die das Potenzial haben, sich in der Flasche weiterzuentwickeln, eine Art Schock sein kann. Manche benötigen danach vier Wochen oder sogar bis zu drei Monaten Zeit, um wieder an Expressivität zu gewinnen. Junge Weißweine können in den ersten paar Monaten etwas zu herb schmecken, junge Rote wirken in den ersten Jahren häufig zu astringierend und tanninhaltig.

Ganz allgemein gilt: Je teurer ein Wein einer bestimmten Kategorie ist, desto länger sollte er reifen. Es ist also nicht sinnvoll, beim Weinhändler automatisch nach der teuersten Flasche zu greifen, wenn Sie den Wein möglichst bald trinken wollen. Die große Ausnahme von dieser Regel ist Condrieu, das Aushängeschild des nördlichen Teils des Rhône-Départements. Dieser aus der Rebsorte Viognier hergestellte vollmundige Weißwein ist alles andere als billig, trotzdem sollte man ihn nicht allzu alt werden lassen.

Meiner Einschätzung nach werden viele Weine eher zu spät als zu früh getrunken, schon deshalb, weil die Leute, die billigen Wein kaufen, nicht wissen, dass er am besten möglichst bald konsumiert werden sollte. Doch auch erfahrene Weinkonsumenten öffnen edle Tropfen, die sie sich für besondere Augenblicke aufgespart haben, oft erst dann, wenn diese ihren geschmacklichen Zenit längst überschritten haben. Dazu kommt, dass die Lagerbedingungen häufig alles andere als ideal sind.

Wie man Wein lagert

Es ist nicht ratsam, Wein einfach in irgendeinem alten Vorratsschrank aufzubewahren. Noch weniger zweckdienlich sind Räume, in denen es so häufige Temperaturwechsel gibt wie in einer Küche, auch wenn Küchendesigner etwas anderes behaupten. Wein lebt und ist äußerst empfindlich, deshalb braucht er unbedingt günstige Lagerbedingungen.

Hier die vier Faktoren, die bei der Lagerung von Wein zu beachten sind (nach ihrer Bedeutung in absteigender Reihenfolge sortiert):

Temperatur Sie sollte möglichst niedrig sein. 13 Grad Celsius sind ideal, aber alles zwischen 10 und 20 Grad ist in Ordnung. Bedenken Sie: Je höher die Temperatur, desto schneller reift der Wein. Außerdem sollte die Temperatur möglichst konstant sein, da Wein keine extremen Veränderungen verträgt.

Licht ist schlecht für Wein, insbesondere für Schaumwein.

Intensive Gerüche sollten vermieden werden, denn sie könnten auf den Wein abfärben.

Luftfeuchtigkeit Die relative Luftfeuchtigkeit sollte idealerweise um die 75 Prozent betragen. Zu trockene Luft lässt den Korken austrocknen und schrumpfen, sodass Luft in die Flasche eindringen kann. Eine allzu hohe Luftfeuchtigkeit schadet zwar dem Wein nicht, allerdings besteht dann die Gefahr, dass das Etikett schimmelt.

Es kann also recht schwierig sein, einen geeigneten Platz für Ihren Wein zu finden. Am besten ist er natürlich in einem richtigen Weinkeller aufgehoben; ein Schrank in einem selten benutzten (kühlen) Gästezimmer kann eine gute Alternative sein. Von der Lagerung in einem Schuppen im Garten rate ich dringend ab, denn dort könnte Ihr Wein gefrieren. Es gibt Firmen, die auf die Konstruktion von in den Boden eingelassenen, aus Beton bestehenden Wendeltreppen spezialisiert sind, deren Seitenwände mit Regalen für Weinflaschen ausgestattet sind. Ich habe mir einen derartigen Mini-Weinkeller im Garten installieren lassen, der inzwischen jedoch leider viel zu feucht ist, da die Wurzeln eines nahen Baumes die Isolierung beschädigt haben. Die sicherste (allerdings etwas unpraktische und auch nicht unbedingt kostengünstigste) Lösung des Problems ist die externe Lagerung bei einem Spezialisten. Die Bezahlung erfolgt jährlich und pro Kiste oder anteilsmäßig, darüber hinaus fallen jedes Mal, wenn Sie Wein holen oder einlagern, Gebühren an, doch dafür wird der Bestand Ihres externen Weinkellers perfekt dokumentiert.

HALTBARKEIT UND TRINKREIFE

Im Folgenden liste ich auf, wann Sie die Vertreter der diversen Rebsorten am besten trinken sollten, wobei die teuersten Weine üblicherweise auch später genossen werden können.

Stille Weißweine

- **billige Plörre:** innerhalb eines Jahres, idealerweise innerhalb weniger Monate
- **Pinot Grigio:** innerhalb von 2 Jahren
- **Viognier, Condrieu:** innerhalb von 2 Jahren
- **Sauvignon Blanc, Sancerre, Pouilly-Fumé:** 1–2 Jahre
- **Vinho Verde, Albariño, andere galizische Weine:** 1–2 Jahre
- **Muskateller:** 1–3 Jahre
- **weiße Rhône-Weine und dergleichen:** 2–5 Jahre
- **Gewürztraminer:** 2–6 Jahre
- **Chenin Blanc:** 2–10 Jahre
- **Chardonnay, weiße Burgunder:** 2–10 Jahre
- **Chablis:** 2–12 Jahre
- **Sémillon:** 3–13 Jahre
- **Riesling:** 3–15 Jahre
- **botrytisierte Weine:** 5–20 Jahre

Roséweine

Fast alle Roséweine sollten möglichst jung getrunken werden, sprich: innerhalb von ein bis zwei Jahren.

Rotweine

- **billige Plörre:** innerhalb eines Jahres
- **Beaujolais und andere Gamay-basierte Weine:** 1–5 Jahre
- **Zinfandel/Primitivo:** 2–12 Jahre

- **Pinot Noir, roter Burgunder:** 2–15 Jahre
- **Sangiovese, Chianti und Chianti Classico, Brunello di Montalcino:** 3–12 Jahre
- **Douro und andere portugiesische Rotweine:** 4–12 Jahre
- **Grenache/Garnacha, Rotweine aus dem südlichen Rhône-Département:** 4–5 Jahre
- **Cabernet Franc, Bourgeuil, Chinon:** 4–16 Jahre
- **qualitativ hochwertiger Merlot, Bordeaux vom rechten Ufer der Garonne:** 4–18 Jahre
- **Tempranillo, Rioja, Ribera del Duero:** 1–3 Jahre
- **Shiraz/Syrah, Rotweine aus dem nördlichen Rhône-Département:** 5–25 Jahre
- **qualitativ hochwertiger Cabernet Sauvignon, Bordeaux vom linken Ufer der Garonne:** 5–25 Jahre
- **Nebbiolo, Barolo, Barbaresco:** 10–30 Jahre

Schaumweine

- **Prosecco, Asti, Moscato, Spumante:** möglichst bald
- **Cava:** 1–2 Jahre
- **Crémants:** 1–2 Jahre
- **jahrgangsloser Champagner:** 1–5 Jahre
- **Jahrgangs-Champagner:** 2–10 Jahre

Gespritete, hochprozentige Weine

Die meisten dieser Weine werden trinkfertig verkauft. Hier die wichtigsten Ausnahmen:

- **Single-Quinta Vintage Port** (Spitzenportwein eines einzigen Weinguts): 2–20 Jahre
- **Vintage-Portwein:** 15–40 Jahre

Kennen Sie diese Traube?

Die wichtigsten Rebsorten auf einen Blick

In der zweiten Hälfte des vorigen Jahrhunderts erlebte die Weinwelt eine revolutionäre Neuerung: Viele Winzer nannten auf den Flaschenetiketten nicht mehr den Namen des Dorfes oder des Gebiets, aus dem ihr Wein stammt, sondern die wichtigsten Rebsorten, aus denen sie den Wein gekeltert hatten. Der Grund dafür ist rasch erklärt: Es wurde auch außerhalb der Gegenden, die sich über Jahrhunderte ihren Ruf als Weinregion erarbeitet hatten, vermehrt Wein angebaut, und die dortigen Hersteller wollten ihren Käufern schlicht vermitteln, wie ihr Produkt schmeckt. Dies war eine enorme Erleichterung für alle Weinproduzenten der sogenannten »Neuen Welt« (ein Ausdruck, den ich seit jeher etwas herablassend fand), sprich außerhalb Europas. Doch auch die Weintrinker profitierten von dieser Entwicklung – statt einen gesamten Weinatlas auswendig zu lernen, mussten sie sich nun nur noch eine Handvoll Rebsorten merken.

Mitte der 1990er-Jahre hatte es den Anschein, als würden auf sämtlichen Rebflächen dieser Erde bald nur noch diese paar Sorten angebaut werden, doch in letzter Zeit zeichnet sich wunderbarerweise ein verstärktes Interesse an unbekannteren regionalen Sorten (bisweilen »historische Sorten« genannt) ab. Das mit meinen Co-Autoren José Vouillamoz und Julia Harding verfasste Verzeichnis aller bekannten Rebsorten der Welt heißt nicht umsonst *Wine Grapes: A Complete Guide to 1,368 Vine Varieties Including Their Origin and Flavours*.

DIE BEKANNTESTEN WEISSEN REBSORTEN

Chardonnay

Chardonnay ist die weltweit am häufigsten angebaute Weißweinsorte. Sie wächst so gut wie überall, wo Wein produziert wird, doch ihre Heimat ist das Burgund, wo sie die Grundlage praktisch sämtlicher Weißweine der Region bildet. Chardonnay ist wunderbar unkompliziert sowohl im Anbau als auch in der Verarbeitung und eine der vielseitigsten Traubensorten der Welt. So ist Chardonnay beispielsweise *die* helle Rebsorte der Champagne, zudem werden aus ihr die teuersten trockenen Weißweine der Welt hergestellt – darunter der berühmte Le Montrachet –, aber auch eine ganze Reihe vage vollmundiger, körperreicher Weißweine in so ziemlich jeder Preisklasse. Ein Übermaß an Geschmack kann man wohl nur den wenigsten günstigeren Chardonnays anlasten, dafür spricht diese Rebsorte hervorragend auf Eiche an, weshalb einige Exemplare leichte Röstaromen aufweisen und zuweilen sogar ansatzweise süß sind.

Verkostungsübung: Vergleichen Sie einen Chardonnay aus der südlichen Hemisphäre (der dank Ausbau im Eichenfass oder Zugabe von Chips vermutlich ein dezentes Röstaroma aufweisen wird) mit einem simplen Chablis aus dem nördlichsten Burgund (typischerweise ohne Eichenfassausbau hergestellt). Achten Sie auf die leichte Süße und den Toastgeschmack, den die Eiche dem Chardonnay verleiht, und prüfen Sie, wie »körperreich« und alles andere als wässrig ersterer Wein ist. Der Chablis wird bedeutend mehr Säure aufweisen, die in wärmeren Anbauregionen oft künstlich verstärkt wird, falls die Trauben bei der Lese schon sehr reif waren und nur noch wenig natürliche Säure aufwiesen.

Sauvignon Blanc

Diese Traube ist das Rohmaterial für weiße Loire-Weine wie Sancerre und Pouilly-Fumé und außerdem das Fundament der neuseeländischen Weinindustrie. Sauvignon Blanc erfreut sich wachsender Beliebtheit und droht allmählich den bislang dominierenden Chardonnay vom Spitzenrang zu verdrängen. Verglichen mit dem vielleicht etwas vollmundigeren, weniger klar strukturierten Chardonnay zeichnet sich Sauvignon Blanc durch eine deutlich wahrnehmbare knackig frische Säure aus – sein direkter Geschmack trifft die Sinne fast wie ein Schwerthieb. Ein typischer neuseeländischer Vertreter dieser Rebsorte duftet intensiv nach grünen Blättern, Brennnesseln, Gras und dergleichen mehr und mit zunehmendem Alter auch nach Dosenspargel. Ein klassischer Sauvignon Blanc vom Oberlauf der Loire dagegen kann elegante, eher mineralische Duftnoten aufweisen, die an nassen Kalkstein und verkohlte Streichhölzer erinnern. Generell sind (wie so oft) die französischen Vertreter bedeutend trockener als die nicht-französischen, die neuseeländischen gehen häufig sogar in Richtung feinherb bis lieblich. Die größte Stärke des Sauvignon Blanc ist sein ausgeprägtes Aroma; werden die Beeren jedoch zu reif geerntet, geht ihr typischer Duft verloren. Deshalb kommen die besten Weine dieser Rebsorte aus Regionen, die nicht so warm sind.

Verkostungsübung: Vergleichen Sie einen möglichst jungen Sauvignon Blanc aus Marlborough, Neuseeland, mit einem Sancerre oder einem weißen Tourraine (der aus Sauvignon hergestellt wird). Achten Sie auf den Unterschied bezüglich Geschmack und Zuckergehalt. Der Neuseeländer wird unter der Säure deutlich süßer schmecken. Trotzdem sollten sie beide einen relativ hohen Säuregehalt aufweisen, da sie in großer Entfernung zum Äquator produziert werden, also in Gegenden, in denen die Sommer nicht allzu heiß werden.

Riesling

Riesling zählt zu jenen seltsamen Trauben, die bei Profis sehr beliebt, bei vielen Konsumenten dagegen eher unpopulär sind. Wir bewundern diese Rebsorte, weil ihre Weine über Jahre, ja sogar Jahrzehnte in der Flasche gelagert werden können und weitaus größeres Entwicklungs- und Verbesserungspotenzial als Sauvignon-Blanc-Weine haben. Langlebigkeit ist bei Weinen immer ein Zeichen von Qualität. Wir mögen Riesling auch deshalb, weil er selbst ohne einen allzu hohen Alkoholgehalt unheimlich viel Geschmack aufweisen und im Gegensatz zu Sauvignon Blanc und den meisten Chardonnays je nach Anbaugebiet vollkommen unterschiedlich ausgeprägt sein kann. Sein Duft hat häufig eine gewisse Blumigkeit. Wird er auf grauem oder blauem Schiefer angebaut wie etwa im Moseltal, verströmt er eine deutlich spürbare nervöse Energie; wächst er dagegen auf rotem Schiefer nur ein paar Kilometer weiter flussabwärts, entsteht daraus ein reichhaltigerer, würzigerer Wein, der jedoch ebenfalls die unverkennbaren Charakterzüge dieser edlen Rebsorte trägt. Ein großes Problem der Rieslinge ist, dass sie im Vergleich zu Chardonnay oder Pinot Gris/Grigio über sehr viel Geschmack verfügen. Es dürfte deshalb nicht überraschen, dass sich so mancher Degustator von so viel Fülle förmlich erschlagen fühlt. Das zweite Problem dieser Rebsorte ist ihr Image: Eine beträchtliche Anzahl an Rieslingen ist zumindest leicht süß, was in der heutigen Weintrinkkultur nicht eben als Vorzug gilt. Riesling wird nicht annähernd so oft angebaut wie Chardonnay und Sauvignon, trotzdem ist er eine Spezialität, nicht nur in Deutschland, sondern auch im Elsass, in Österreich und in Australien (dort vor allem im Clare Valley und im Eden Valley).

Verkostungsübung: Vergleichen Sie einen Riesling von der Mosel mit acht bis zehn Prozent Alkohol mit einem australischen Riesling, dessen Alkoholgehalt vermutlich um die 13 Prozent betragen wird. Der australische Vertreter wird mit Sicherheit staubtrocken sein. Versuchen Sie, die Süße und Leichtigkeit des deutschen Rieslings zu erschmecken. Je geringer der Alkoholgehalt, desto mehr natürlicher Fruchtzucker verbleibt unfermentiert im Wein.

Pinot Gris/Grigio

Pinot Gris oder Pinot Grigio wird in Deutschland Grauburgunder genannt (sowohl das französische *gris* als auch das italienische *grigio* bedeuten »grau«) und ist normalerweise ein Weißwein, denn diese Mutation des Pinot Noir hat eine rosarote Schale, die nicht genügend Farbstoffe enthält, um den Wein rot zu färben. Dieser kann allerhöchstens blassrosa werden, wenn der Most lange genug mit den Schalen in Berührung kommt. Die besten Beispiele, typischerweise aus dem Elsass und dem nordostitalienischen Friaul, erinnern mit ihrem ansprechenden, berauschenden Bukett und ihrem Gewicht an die Qualitäten des Pinot Noir. Billiger Pinot Grigio dagegen wirkt, als hätte er fast gar keinen Eigengeschmack. Das hat wohl damit zu tun, dass die Ernteerträge massiv in die Höhe getrieben wurden, da sich dieser Wein (mysteriöserweise) in letzter Zeit so großer Beliebtheit erfreut. Zudem darf er ganz legal bis zu 15 Prozent mit Trebbiano oder einer anderen billigen, neutralen weißen Traube verschnitten werden. Die hellschalige, blassgrüne Mutation ist eher weiß als grau und bekannt unter den Namen **Pinot Blanc, Pinot Bianco** oder **Weißburgunder**. Die Weine, die sie liefert, sind mit molligen, eher plumpen Chardonnays zu vergleichen. Die Umschreibung »Pinot Gris ohne das typische Bukett« trifft es eigentlich auch ganz gut. Einige der besten Vertreter kommen aus deutschsprachigen Ländern.

Verkostungsübung: Stellen Sie einen Pinot Gris aus dem Elsass einem günstigen Pinot Grigio aus dem Supermarkt gegenüber und testen Sie, ob Sie irgendwelche Gemeinsamkeiten ausmachen können. Wahrscheinlich ist der Wein aus dem Elass bedeutend geschmacksintensiver und körperreicher.

DIE BEKANNTESTEN ROTEN REBSORTEN

Cabernet Sauvignon

Diese Rebsorte gilt als Referenzklasse für alle Rotweine, die für eine längere Reifung vorgesehen sind. Cabernet Sauvignon ist der wichtigste Bestandteil der berühmtesten roten Bordeaux-Weine, darunter Château Lafite und Château Latour im Médoc, am sogenannten linken Ufer der Gironde, dem Mündungsgebiet der Flüsse Dordogne und Garonne. Die kleinen bläulich-schwarzen Beeren des Cabernet Sauvignon haben eine besonders dicke Schale, denen der junge Wein seine tendenziell kräftige Farbe und seinen hohen Tanningehalt verdankt. Diese Rebsorte in kühlen Gegenden anzubauen wäre reine Zeitverschwendung, denn es dauert sehr lange, bis sie reif ist. Selbst Teile des Weinbaugebiets Bordeaux (Bordelais) eignen sich besser für den Anbau ihrer früher reifenden Verschnittpartner und Verwandten, sprich, Merlot (siehe unten) und **Cabernet Franc.** Letztere Rebsorte ist etwas heller und stärker belaubt als Cabernet Sauvignon. Im Bordelais kann Cabernet Sauvignon recht rustikal und dünn ausfallen. Hier wurde sicherheitshalber oft auch der früher reifende, fleischigere Merlot angepflanzt für den Fall, dass beim Cabernet die Blüte schlecht ausfiel oder die Beeren nicht die volle Reife erreichten.

Im Napa Valley nördlich von San Francisco dagegen, wo der Cabernet Sauvignon ebenfalls sehr weit verbreitet ist, herrscht im Allgemeinen ein so warmes Klima, dass er entschieden samtig ausfällt und der Verschnitt daher eher eine zusätzliche Option darstellt. Weil Cabernet Sauvignon mit einigen der ganz klassischen Weine assoziiert wird, wurde er praktisch überall dort angebaut, wo eine Chance auf eine vollständige Reifung bestand.

Sein charakteristisches Johannisbeer- und Zedernaroma ist auf der ganzen Welt unverwechselbar und sogar in einigen italienischen Weinen zu finden, selbst wenn er nur ein unwesentlicher (und bisweilen illegaler) Bestandteil von ihnen ist.

Verkostungsübung: Vergleichen Sie einen Médoc- oder Graves-Rotwein von einem Petit Château (die Flasche darf ruhig weniger als 25 Euro kosten) mit einem chilenischen Cabernet Sauvignon aus mehr oder weniger derselben Preiskategorie. Sie werden bemerken, dass der chilenische Wein dank des deutlich sonnigeren Klimas in Chile deutlich reifer und süßer schmeckt. Beide Weine sind höchstwahrscheinlich im Eichenfass ausgebaut, wobei man heutzutage ein allzu aufdringliches Eichenaroma tunlichst zu vermeiden versucht.

Merlot

Merlot gehört zur selben großen Rebenfamilie aus dem südwestlichen Frankreich wie Cabernet Sauvignon und Cabernet Franc, unterscheidet sich von diesen aber insofern, als seine Weine bedeutend milder und fruchtiger sind. Die Trauben reifen früher und können daher in kühleren Regionen angebaut werden, zum Beispiel in ihrer Heimat St.-Émilion und in Pomerol, am rechten Ufer der Gironde. Weil Merlot bedeutend leichter zur Reife kommt als Cabernet Sauvignon, wird er viel häufiger angebaut – besonders im erweiterten Umkreis des Bordelais. Die Weine haben eine natürliche Süße und sind nicht nur voller und entschieden weicher, sondern auch früher ausgereift als Cabernet-dominierte Weine. Außerdem dient Merlot bei Cabernet-Verschnitten besonders häufig dazu, diesen Fülle zu verleihen, aber es wird auch weltweit sortenreiner Merlot produziert.

Verkostungsübung: Vergleichen Sie den Petit-Château-Wein (siehe dazu Seite 109) aus Graves oder dem Médoc von der Cabernet-Sauvignon-Verkostung (dessen Primärtraube mit großer Wahrscheinlichkeit Cabernet Sauvignon ist) mit einem anderen Wein in ungefähr derselben Preislage, bei dem einfach »Bordeaux« auf dem Etikett steht (und der mit ziemlicher Sicherheit primär aus Merlot hergestellt wurde). Achten Sie darauf, um wie viel leichter, weicher und runder Letzterer schmeckt.

Pinot Noir

Diese rote Burgundertraube kann gegenwärtig mit Fug und Recht von sich behaupten, der Favorit in der Welt der Weine zu sein. Im Vergleich zum soliden Cabernet Sauvignon ist Pinot Noir faszinierend wandelbar. Wenn er gut ist, schmeckt er köstlich, aber er ist empfindlich und wesentlich leichter als Cabernet. Die Schalen der Trauben sind viel dünner, daher sind die Trauben anfälliger für Fäulnis und Krankheiten und die daraus bereiteten Weine blasser und normalerweise weniger gerbstoff- und körperreich. Pinot Noir ist vom Typ her fruchtig und manchmal ein wenig süß, und sein Aromenspektrum reicht von Brombeeren und Kirschen über Veilchen bis hin zu Pilzen und herbstlichem Unterholz. Weil er ziemlich kapriziös ist, hat er weltweit das Interesse von Weinbauern und Konsumenten auf sich gezogen. Da er jedoch früh reift, benötigt er ein recht kühles Klima während der Wachstumszeit, die lang genug sein muss, damit die Trauben interessante Geschmacksnoten entwickeln können. Burgund ist sein Geburtsort, aber Pinot Noir ist auch die wichtigste rote Traube der Champagne, des Elsass, Deutschlands, Neuseelands und Oregons. Einige viel versprechende Exemplare werden nun in den kältesten Gegenden Kaliforniens, Chiles und Australiens hergestellt, und von Kanada bis Südafrika machen ehrgeizige Pinot-Freunde erhebliche Fortschritte.

Verkostungsübung: Roter Burgunder wird in so geringen Mengen produziert, dass er niemals billig ist. Bei der Gegenüberstellung mit einem nicht-französischen Pinot Noir dürften Sie ähnliche Geschmackserfahrungen wie beim Sauvignon-Blanc-Test machen. Im Endeffekt ist es wohl aufschlussreicher, einen der preisgünstigeren und leichter zugänglichen roten Burgunderweine, die einfach als »Bourgogne« (französisch für Burgund) etikettiert sind, mit einem guten Beaujolais aus Gamay-Trauben zu vergleichen (Auf Seite 112 finden Sie die Namen einiger Beaujolais Crus, also der besten Weine der Region). Sie werden merken, dass Gamay einen höheren Säuregehalt hat, wobei er sogar noch weniger Tannin enthält als Pinot Noir. Außerdem zeichnet er sich durch einen deutlich ausgeprägteren Fruchtgeschmack und eine gewisse Saftigkeit aus. Gamay reift im Allgemeinen viel früher als Pinot Noir.

Syrah/Shiraz

Shiraz ist der australische Name für die Rebsorte, die in ihrer Heimat, dem nördlichen Rhône-Tal, als Syrah bekannt ist. Die berühmtesten Weine von dort heißen Hermitage und Côte Rôtie. Beide werden inzwischen viel häufiger in Australien angebaut als im nördlichen Rhône-Gebiet. In heißen Gegenden wie im Barossa Valley und in McLaren Vale entstehen daraus schwere, dunkle, gehaltvolle, süssliche Weine mit schokoladigem und oft fast medizinischem Aroma. In der nördlichen Rhône-Gegend hat er einen ganz anderen Charakter, auch wenn er (zumindest der Hermitage) recht kompakt ist: staubtrocken, erst eher unaufdringlich, aber unvergesslich mit einem Hauch von schwarzem Pfeffer und Leder. Heutzutage versucht manch ein Produzent der Neuen Welt, sogar in Australien, die durchsichtige Blässe eines Côte Rôtie nachzuahmen, und signalisiert das dadurch, dass er den Wein lieber Syrah nennt als Shiraz (obwohl der Name Syrah von den amerikanischen Produzenten, die dazu tendieren, die Unterschiede der beiden Sorten zu benennen, immer vorgezogen wurde). Seit den 1990er-Jahren erfreut sich Syrah/Shiraz bei Weinbauern auf der ganzen Welt, besonders in Südafrika und im Languedoc, immer größerer Beliebtheit.

Verkostungsübung: Vergleichen Sie einen Shiraz, vorzugsweise aus Australien, mit einem Wein, bei dem Syrah auf dem Etikett steht – egal ob australischer oder südafrikanischer Herkunft. Achten Sie darauf, um wie viel zarter Letzterer ist.

Tempranillo

Die Tempranillo-Traube mit ihrem Duft nach Tabakblättern ist die angesehenste rote Weintraube in Spanien und hauptsächlich in Rioja, Ribera del Duero und in beträchtlichen Mengen in anderen spanischen Rotweinen enthalten. Weil es in Spanien so selten regnet und es dort bis vor Kurzem kaum Bewässerungssysteme gab, werden die Weinstöcke traditionell mit weiten Zwischenräumen gepflanzt, was erklärt, warum Tempranillo und Airén, Spaniens weiße Zechweinsorte, in der Rangliste der weltweit am häufigsten angebauten Rebsorten so weit oben rangieren. Zudem haben spanische Winzer wie verrückt gepflanzt, und zwar bevorzugt Tempranillo, der traditionell viel mehr geschätzt wird als der einheimische Garnacha, in Frankreich bekannt als Grenache. (Garnacha ist saftiger und leichter im Geschmack als

Tempranillo, daher galt er vermutlich als weniger ernsthafte Rebsorte.) Portugal ist das einzige weitere Land, in dem Tempranillo eine relativ große Rolles spielt. Dort kennt man diese Rebsorte auch unter den Namen Tinta Roriz und Aragonez.

Verkostungsübung: Vergleichen Sie Weine aus modernen Rioja-Weinkellern wie Artadi, Contador, Finca Allende oder Roda mit Weinen traditioneller Hersteller wie CVNE, La Rioja Alta, Lopéz de Heredia oder Muga. Sie werden einen Eindruck davon bekommen, wie Tempranillo schmeckt, lernen aber zwischen Weinen zu unterscheiden, die für kürzere Zeit in jungen, manchmal französischen Eichenfässern gereift sind (die erste Gruppe), und solchen, die über längere Zeit in alten amerikanischen Eichenfässern gelagert wurden, wie es in der Region Tradition ist (die zweite Gruppe).

Nebbiolo

Man könnte ihn den Pinot Noir Italiens nennen, da es so überaus schwierig ist, ihn außerhalb seiner Heimat Piemont im nordwestlichen Italien zu ziehen. Sein berauschender Duft nach Teer, Holzrauch und Rosen ist typischerweise gepaart mit einer ungewöhnlich blassen Farbe und einer ziemlich ausgeprägten Tanninnote. Im besten Fall können aus einem vorzüglichen Barolo und Barbaresco außerordentlich haltbare Weine werden. Da er jedoch so spät reift, sind Rebflächen mit idealen Bedingungen die wichtigste Voraussetzung. In den weniger geeigneten Gebieten des Piemont werden eher der spritzige, nach Sauerkirschen schmeckende **Barbera** und der milde, früher reifende **Dolcetto** angebaut – beide sind lokale Spezialitäten.

Verkostungsübung: Versuchen Sie, ein erschwingliches Produkt dieser großartigen Traube – vielleicht einen Nebbiolo d'Alba oder

Langhe Nebbiolo – in die Finger zu bekommen, und hoffen Sie, dass Sie sich nicht allzu heftig in ihn verlieben, denn ein Keller voller Barolo wird Sie eine ordentliche Stange Geld kosten.

Sangiovese

Diese Traube aus Mittelitalien wird häufiger angebaut als Nebbiolo und auch zu Billigware verarbeitet. Wenn man jedoch das Pflanzmaterial sorgfältig auswählt und die Erträge drosselt, können daraus Weine hervorgehen, die wie eine Quintessenz der Toskana schmecken. Brunello di Montalcino aus dem warmen Süden der Region ist der anspruchsvollste und haltbarste unter ihnen. Ein Chianti Classico von den kühleren Hügeln im Zentrum der Toskana kann noch mehr Eleganz aufbieten. Typischerweise haben diese Weine ein ausgeprägt bodenständiges, aber keinesfalls unangenehmes Bukett.

Verkostungsübung: Besorgen Sie sich einen günstigen sortenreinen Sangiovese (bei dem grundsätzlich der Name der Traube auf dem Etikett steht), vielleicht aus der Romagna, und einen Chianti Classico (»Classico« bedeutet, dass er aus dem Herzen der Chianti-Region stammt, im Gegensatz zu einem Wein, der lediglich als »Chianti« etikettiert ist), welcher hauptsächlich aus qualitativ hochwertigen Sangiovese-Trauben hergestellt wird. Beide sollten spürbar Säure haben, aber Sie werden feststellen, um wie viel konzentrierter der Chianti Classico ist, sowohl in der Farbe als auch in der Geschmacksintensität. Sangiovese ist nicht elegant, lieblich oder mild. Er hat eine gewisse bäuerlich-ländliche Ausprägung – aber mit einer attraktiven Note, wenn er aus den richtigen Händen kommt. Er wird Sie an die Hügel der Toskana erinnern.

DIE ZEHN MEISTVERBREITETEN REBSORTEN WELTWEIT

Die aktuellste seriöse Statistik stammt aus dem Jahr 2010 und bezieht sich nicht auf die Anzahl der Weinstöcke, sondern auf die Ausdehnung der Rebflächen.

1. Cabernet Sauvignon

---

2. Merlot

---

3. Airén

---

4. Tempranillo

---

5. Chardonnay

---

6. Syrah/Shiraz

---

7. Grenache/Garnacha

---

8. Sauvignon Blanc

---

9. Trebbiano Toscano

---

10. Pinot Noir

Weinbaugebiete, die Sie kennen sollten – ein Spickzettel

Dieses Buch soll dazu dienen, Sie mit den wesentlichen Fakten vertraut zu machen. Es gibt natürlich noch viel mehr zu entdecken, und ich will Sie keinesfalls daran hindern, die wunderbare Welt des Weins genauer zu erforschen. Sie können noch weitere Bücher lesen, sich online informieren (siehe Seite 160) oder sogar die erwähnten, oft wunderschönen Weinregionen selbst besuchen – in den meisten kann man herrliche Urlaubstage verbringen. Für den Anfang finden Sie hier einen kurzen Überblick über die wichtigsten Weinbaugebiete der Welt.

Die wichtigsten roten (R) und weißen (W) Rebsorten sind, basierend auf den aktuellsten verlässlichen Daten, in absteigender Reihenfolge gelistet.

FRANKREICH

Im Kampf um den Titel der produktivsten Weinherstellernation weltweit liefert sich Frankreich seit Langem ein Kopf-an-Kopf-Rennen mit Italien. Auf alle Fälle ist Frankreich der Geburtsort der systematischen geografischen Benennung von Weinen. Sie basiert auf gesetzlich festgelegten Herkunftsangaben, bestimmte Produkte sind mit einer Art Schutzsiegel namens »Appellation d'Origine Contrôlée« (kurz AOC) auszeichnet. (Etwas problematisch ist, dass die EU gegenwärtig ihr Qualitätssystem revidiert, daher steht auf einigen Etiketten nun die Bezeichnung AOP [P für »Protegée«].) Aber es zeichnet sich eine Veränderung ab. Eine neue Generation von Avantgardisten hat sich dazu entschlossen, ihre Weine ganz einfach als »Vin de France« zu verkaufen, ohne nähere geografische Angaben also, und der Anteil derer, die »natürliche Weine« mit minimalen Zusätzen herstellen, steigt.

Bordeaux [R: Merlot, Cabernet Sauvignon, Cabernet Franc; W: Sauvignon Blanc, Sémillon] Private Kellereien in den südwestlichen Regionen laufen häufig unter der Bezeichnung »Château« (französisch für »Schloss«) – selbst dann, wenn der Wein in einem einfachen Schuppen hergestellt wurde. Aus dem Weinbaugebiet Bordeaux (französisch auch *Bordelais* genannt) kommen einige der teuersten Weine der Welt, allen voran die »Ersten Gewächse«, benannt nach einer für die bekanntesten Châteaux festgelegten Klassifizierung in fünf Sparten, die auf das Jahr 1855 zurückgeht. Das sind die Weine, die weltweit als Investitionsobjekte gehandelt werden und deren Preise daher oft von Spekulanten künstlich in die Höhe getrieben werden. Allerdings sind in einer Region dieser Größe die kleineren Weinbauern (*petits châteaux*) deutlich in der Überzahl, und sie haben es momentan sehr schwer, denn ihre Preise sind relativ niedrig, obwohl ihre Produktionskosten kaum geringer sind als die der Hersteller von klassifizierten Erzeugnissen. In keinem anderen Weinbaugebiet der Welt findet man solche Extreme im Preis-Leistungs-Verhältnis wie hier, im Positiven wie im Negativen. Weine, die im Médoc und in Graves am linken Ufer der Gironde angebaut werden, wo auch die Stadt Bordeaux liegt, sind trocken, haltbar und von Cabernet Sauvignon dominiert, während die Weine vom rechten Ufer, aus der Gegend um St.-Émilion und Pomerol sowie aus dem Weinbaugebiet Entre-Deux-Mers (also zwischen den beiden Flüssen, die in die Gironde münden) fruchtiger sind und hauptsächlich aus Merlot bereitet werden.

In anderen Weingebieten im Südwesten Frankreichs, wie in der Dordogne, in Bergerac und Cahors, werden Traubensorten angebaut, die zur erweiterten Bordeaux-Familie gehören.

Burgund [R: Pinot Noir; W: Chardonnay] Private Winzer mit eigenen Weinbergen nennen ihre Betriebe in dieser östlichen Region »domaines«, im Unterschied zu den »negociants«, die Wein aus gekauftem Lesegut herstellen. Die Côte d'Or, ein nach Osten ausgerichteter »goldener« Kalksteinhang, beherbergt alle berühmten Burgunder-Weinberge, produziert aber, verglichen mit Bordeaux, ungleich weniger Wein (nämlich nur knapp ein Zehntel). Über zwei Drittel davon sind Rotweine. Sie stammen aus einem Fleckenteppich winziger Weinberge, von denen nicht nur jeder einen eigenen, seit dem Mittelalter gewissenhaft dokumentierten Namen und Status hat. Die Spitze bilden etwa zwanzig Grand Crus, gefolgt von den Premiers Crus und – eine Stufe darunter – den Dorfweinen, unter anderem einige »Lieux-Dits« aus namentlich genannten Lagen. Am unteren Ende des Spektrums sind jene Weine angesiedelt, die unter dem Namen des Anbaugebiets laufen, also »Bourgogne« (französisch für Burgund). Einige der wenigen Schnäppchen aus Burgund sind Bourgognes von Spitzenwinzern. Viele Dörfer haben ihrem Dorfnamen den Namen ihres berühmtesten Weinberges hinzugefügt, um ihrem Stolz darauf Ausdruck zu verleihen, wie zum

Beispiel Gevrey mit seinem Weinberg Chambertin oder Chambolle mit seinem unvergleichlichen Weinberg Musigny. Die nördliche Hälfte der Côte d'Or, die Côte de Nuits (benannt nach der Stadt Nuits-St.-Georges) ist praktisch ausschließlich auf Rotweine spezialisiert.

Dasselbe System der Namensgebung kommt auch beim weißen Burgunder zur Anwendung. Die berühmtesten Weißwein-Dörfer sind Puligny-Montrachet, Chassagne-Montrachet und Meursault, die sich allesamt an der Côte de Beaune befinden, am untersten Zipfel der südlichen Hälfte der Côte d'Or. Keiner der hier produzierten Weine ist billig, die waschechten Chardonnays werden allesamt im Eichenfass ausgebaut. In letzter Zeit gab es unerklärliche und besorgniserregende Probleme mit einigen dieser Gewächse – sie wurden braun und verloren vorzeitig ihre Fruchtigkeit. Ganz im Norden der Region Burgund findet sich der Chablis, aus extrem stahligen Chardonnay-Trauben hergestellt und im Allgemeinen nicht im Eichenfass ausgebaut. Die besten von ihnen könnten sich langfristig als lohnende Investition erweisen.

Beaujolais/Mâconnais [R: Gamay; W: Chardonnay] Diese beiden benachbarten Regionen befinden sich südlich der Côte d'Or und ihrer südlichen Verlängerung, der Côte Chalonnaise. Die Chardonnays, die vor allem im Mâconnais hergestellt werden, sind viel billiger, weniger anspruchsvoll, fruchtiger und früher reif als die Weißweine von etwas weiter nördlich, aber sie sind unleugbar mit ihnen verwandt. Die Rotweine werden aus Gamay-Trauben hergestellt, die sich von den weiter nördlich für den Burgunder verwendeten Rebsorten deutlich unterscheiden.

Die daraus bereiteten Weine werden oft noch sehr jung getrunken und sind ausgesprochen erfrischend, weshalb sie manchmal gekühlt serviert werden (es ist keine Sünde, Rotwein kühl zu servieren). Die besten Beaujolais-Cru-Weine sind (hier angegeben in der Reihenfolge des ansteigenden allgemeinen Niveaus von Körper und Haltbarkeit) Regnié, Chiroubles, Chénas, St.-Amour, Fleuri, Brouilly, Côte de Brouilly, Juliénas, Morgon und Moulin-à-Vent und weisen selten das Wort »Beaujolais« auf ihrem Etikett auf.

Champagne [R: Pinot Meunier, Pinot Noir; W: Chardonnay] Nur Schaumweine aus Trauben, die in der Region zwischen Reims und Troyes östlich von Paris gewachsen sind, dürfen sich Champagner nennen; alle anderen sind Sekt. Fast alle Vertreter sind weiß und entstehen aus Trauben beider Farben, die aber so sorgfältig gepresst werden, dass keine Pigmente im fertigen Wein zurückbleiben, wenngleich (durch Zugabe von rotem Stillwein) immer öfter auch Roséschaumweine produziert werden. Das Gros der Champagnersorten wird aus mehreren Weinen verschiedener Jahrgänge verschnitten (wobei normalerweise eine Rebsorte dominiert) und dementsprechend als »non-vintage« (NV), also jahrgangslos, verkauft. Ein geringer Anteil besteht aus Trauben eines einzigen Jahrgangs und darf sich »Vintage-Champagner« nennen. Dann gibt es noch den sogenannten Prestige- oder Luxus-Champagner wie zum Beispiel Cristal oder Dom Pérignon, deren Preise auf statusbewusste Käufer abzielen. Zur Herstellung von Schaumweinen siehe Seite 75.

Nördliche Rhône [R: Syrah; W: Viognier, Marsanne, Roussanne] Hier gibt es zum einen durchscheinende Rotweine von den steilen Hängen der Côte Rôtie, zum anderen bedeutend kräftigere, molligere Weine vom Hermitage-Hügel, einer relativ kleinen Region eine Fahrstunde weiter südlich. St.-Joseph, Crozes-Hermitage und Cornas sind erschwinglicher. Die beiden ersteren und Hermitage gibt es auch als Weißweine, während Condrieu, der berühmteste Weiße aus der nördlichen Rhône-Gegend, aus der wohlriechenden Viognier-Traube bereitet wird, die auf den Hügeln etwas südlich der Côte Rôtie wächst. Die gesamte Produktion ist relativ klein, jedoch sehr lokal und hat eine lange Tradition.

Südliche Rhône [R: Grenache, Syrah; W: Grenache Blanc, Vermentino] In dieser riesigen Weinregion werden fast so viele AOC-Weine produziert wie in Bordeaux. Côtes-du-Rhône und der deutlich hochklassigere Côtes-du-Rhône Villages sind die wichtigsten Namen der größten Gruppe. Der berühmteste ist Châteauneuf-du-Pape, der durchaus mit diversen lokalen Rebsorten verschnitten sein kann, von denen die immer beliebtere Sorte Mourvèdre die größte Rolle spielt. Die meisten Weine der südlichen Rhône-Gegend sind rot, doch es gibt von den meisten Appellationen auch Weißweine sowie einen leuchtend roséfarbenen aus Tavel. Eine Ausnahme bildet der Gigondas, der ausschließlich rot ist und fast so berauschend, würzig und alkoholhaltig wie der etwas weniger wuchtige Châteauneuf-du-Pape.

Loire [R: Cabernet Franc, Gamay; W: Melon de Bourgogne, Chenin Blanc, Sauvignon Blanc] Der lange Fluss Loire verbindet vier unterschiedliche bedeutende Weinregionen und dazwischen eine ganze Reihe weiterer kleinerer Gebiete. Aus allen kommen Weine, die ziemlich frisch und leicht sind. Flußaufwärts liegen die Weinberge von Sancerre und Pouilly-Fumé, von denen sehr ähnliche Weine stammen, die allesamt prototypische Vertreter des französischen Sauvignon Blanc sind (siehe Seite 96f.). Es werden aber auch einige leichte Rotweine und roséfarbene Pinot Noirs produziert. Unterhalb der Westbiegung flussabwärts befinden sich die Weinberge der Touraine im Umkreis der Stadt Tours. Hier wird eine ganze Reihe verschiedener Weißweine hergestellt, etwa die trockenen und die süßen aus Chenin Blanc in Vouvray und Montlouis, aber auch einige leichte, teils recht säuerliche Rotweine (vorrangig basierend auf Cabernet Franc), insbesondere Chinon und Bourgueil. Nicht weit von hier, etwas flussabwärts, findet man die Weine von Saumur und Anger, jeweils zentriert um die gleichnamigen Städte. Cabernet Franc und Chenin Blanc sind auch hier die dominierenden Traubensorten, leichtere Rotweine jedoch, basierend auf Gamay und einer Reihe lokaler Trauben, kann man in diesem mittleren Teil des Loire-Tales ebenfalls überall finden. Um die Mündung des Flusses herum liegt die ausgedehnte, gegenwärtig aber verarmte Region des Muscadet-Weins, der zurzeit nicht *en vogue* ist. Diese Weine werden aus der Rebsorte Melon de Bourgogne gemacht, die besten Exemplare haben einen leicht salzigen Geschmack. Muscadet und Austern sind eine klassische Kombination.

Elsass [R: Pinot Noir; W: Riesling, Gewürztraminer, Pinot Blanc, Pinot Gris] Diese Region an Frankreichs nordöstlicher Grenze gehörte seinerzeit zu Deutschland, und die Weine wurden, wie in Deutschland üblich, lange mit dem Namen der jeweiligen Traube etikettiert, was sehr untypisch für französische Verhältnisse ist. Inzwischen jedoch zeichnet sich eine Trendwende bei der Bezeichnung elsässischer Weine ab, die überwiegend weiß, eher trocken, kaum je im Eichenfass ausgebaut und sehr rein und aromatisch sind. Heute steht häufig der Name des Weingutes auf dem Etikett, vor allem bei den etwa fünfzig Grands Crus. Einige Winzer weigern sich sogar, überhaupt eine Traube zu nennen, und ziehen es vor, das lokale Kolorit des jeweiligen Weins hervorzuheben. Die meisten Weißweine aus dem Elsass haben für mich einen leicht rauchigen Geschmack. Die roten Pinots werden immer besser.

Languedoc-Roussillon [R: Syrah, Grenache, Carignan, Merlot, Cabernet Sauvignon, Cinsaut; W: Chardonnay, Sauvignon Blanc, Muscat, Grenache Blanc] Dieses gigantische Weinbaugebiet, das sich von der spanischen Grenze bis zur südlichen Rhône erstreckt, ist bedeckt von schier endlosen Rebflächen, auf denen eine Vielzahl (vor allem) dunkler Traubensorten wächst. Lange wurden hier Unmengen von mit allerlei kellertechnischen Tricks hergestelltem Billigwein produziert, aber auch starker, süßer Muscat und Grenache aus dem Hinterland von Perpignan im Roussillon. Ende des 20. Jahrhunderts hat die Region allerdings eine Revolution erlebt. Mit Subventionen der EU wurden die bisher am wenigsten lohnenden Weinbauflächen, besonders jene in den fruchtbaren Ebenen, aufgewertet. Mittlerweile bringen Großproduzenten Unmengen preislich günstiger, leicht verkäuflicher Weine (meist Merlot und Chardonnay) auf den Markt, die gewöhnlich als Pays d'Oc vermarktet werden.

Aber es gibt auch immer mehr – im Allgemeinen unter Wert verkaufte – große Weine von Hunderten von kleinen Weingütern, die vor allem auf Hügeln liegen. Auf den Etiketten stehen neben der eher allgemeinen Bezeichnung Languedoc dann Appellationen wie Fitou, Corbières, Minervois, Faugères und St. Chinian (von West nach Ost). Die meisten dieser Weine sind Verschnitte, typischerweise aus den ersten drei oben genannten roten Rebsorten, oft aufgepeppt mit Cinsaut oder Mourvèdre, und sie bringen die vor Ort herrschenden Anbaubedingungen trefflich zum Ausdruck. Die Weißen waren früher meist etwas schwer, mitunter schmeckte man die Eichenfässer heraus, aber heute ist es nicht schwierig, hier richtig aufregende Weine zu finden, besonders jene von den alten Reben in den höher gelegenen Gegenden des Roussillon. Diese Weine können als Côtes Catalanes etikettiert sein. In der Gemeinde Limoux in den Ausläufern der Pyrenäen werden einige sehr respektable Schaumweine hergestellt. Im Küstenstädtchen Banyuls-sur-Mer, unweit der Grenze zu Spanien, produziert man die französische Antwort auf den Portwein; das ungespritete Erzeugnis heißt Collioure.

Jura [R: Poulsard, Pinot Noir, Trousseau; W: Chardonnay, Savagnin] Diese sehr kleine Region zwischen Burgund und den Alpen ist berühmt für ihre Bresse-Hühner, den Comté-Käse und den Vin Jaune, den gelben Wein, eine Art trockener Sherry. Die hier bereiteten Weine sind unverwechselbar und zurzeit groß in Mode und zeichnen sich durch mäßigen Alkoholgehalt aus. Die Weißweine schmecken immer spritzig und enorm erfrischend.

ITALIEN

Italien besitzt von allen Ländern die größte Vielfalt an einheimischen Weintraubensorten, und oft wird dort mehr Wein produziert als in Frankreich, aber die Herstellung edler Weine hat keine so lange Tradition wie im westlichen Nachbarland. Zum Ausgleich holt es jetzt auf mit einer wunderbaren und aufregenden Vielfalt an Geschmacksrichtungen und Stilen. Die Namensgebung der Weine ist genauso anarchisch, wie man sich das vorstellt. Die italienische Anwort auf Frankreichs AOC ist DOC (Denominazione di Origine Controllata), aber es gibt noch eine höhere Stufe: DOCG bedeutet vermutlich nicht nur einfach kontrollierte, sondern auch garantierte Qualität (das G steht für »garantita«). Daraufhin gab es eine Schwemme von Weinen mit der vergleichsweise bescheidenen Bezeichnung Vino da Tavola (Tischwein), die aber ebenso teuer waren. Es war das reinste Chaos. Heute tragen viele Weine einfach die Bezeichnung IGT (Indicazione Geografica Tipica) und den Namen der Region oder auch des Ortes, aus dem sie stammen.

Piemont [R: Barbera, Dolcetto, Nebbiolo; W: Muscat/Moscato, Cortese] Die Nebbiolo-Traube (siehe Seite 105) aus den Hügeln der Langhe südlich von Turin ist verantwortlich für Italiens meistgepriesene Superstar-Gewächse, den Barolo und den Barbaresco. Die besten davon stammen wie auch die besten Burgunder jeweils von einem einzelnen Weingut. Der Barbera mit seinen Kirscharomen wird in viel größeren Mengen hergestellt und oft in Eiche ausgebaut, der Dolcetto (»der kleine Süße«) kann eine erschwingliche Gaumenfreude des jugendlich-frischen Piemont sein. Dieses ist auch die Heimat leichter, spritziger Schaumweine wie Asti (der ursprüngliche Moscato, bevor er zur internationalen Handelsware hochgejubelt wurde). Weiter nördlich, am Fuß des Aosta-Tales, wo einige ätherische Bergweine produziert werden, finden wir noch eine ganze Reihe von verführerisch hellen Rotweinen auf Nebbiolo-Basis mit Namen wie Gattinara, Ghemme, Lessona Boca und Bramaterra. Ein weiteres kleines Weinbaugebiet ist das Valtellina jenseits der Grenze in der Lombardei, wenige Kilometer von der Schweizer Grenze entfernt. Hier reift der Nebbiolo an sonnenverwöhnten Südhängen am Fuß der Alpen.

Trentino-Südtirol [R: Teroldego, Lagrein, Pinot Noir; W: Chardonnay, Pinot Grigio, Pinot Bianco, Sauvignon Blanc] Das Trentino umfasst die südliche Hälfte des schmalen Aosta-Tales, eines höchst sonnigen Eckchens, durch das die Hauptverkehrsader zwischen Italien und Österreich verläuft. Viele der Winzer hier produzieren die Grundlage für Schaumweine, von denen einige der besten sich jetzt »Trento DOC« nennen. Der kräftige Teroldego ist eine autochthone rote Rebsorte. Weiter oben im Tal liegt Südtirol (italienisch: Alto Adige). Die klare Bergluft bringt dort wunderbar klar strukturierte Obstaromen bei einer ganzen Reihe unterschiedlicher, nach der Rebsorte etikettierter Weine hervor, die Mehrheit davon Weiße. Einige der besten Weingenossenschaften der Welt sind hier angesiedelt.

Friaul [R: Cabernet Franc, Refosco; W: Friulano, Pinot Grigio, Sauvignon Blanc, Pinot Bianco, Ribolla Gialla] Friaul war die erste italienische Weinregion, die die moderne Weißweinproduktion mit wirklich frischen Geschmacksnoten bewältigte. Hier werden nach wie vor besonders kristallklare Varianten hergestellt. Außerdem ist man hier auf interessante Weißweinverschnitte spezialisiert. Collio und Colli Orientali sind die häufigsten DOCs. Das Friaul war der Ausgangsort einer neuen Weinmodewelle, die auch über die Grenze nach Brda (die westlichste Weinregion Sloweniens) geschwappt ist: Unkonventionelle, orangefarbene Weine mit kräftiger Tanninnote, deren Trauben mit den Beerenschalen vergoren werden und nicht in Fässern, sondern in amphorenähnlichen Behältnissen reifen, sind hier gerade der letzte Schrei.

Venetien [R: Corvina; W: Garganega] Diese Region im Hinterland von Venedig war seit jeher sehr bekannt für Valpolicella und Soave. Heute jedoch ist der berühmteste Wein der in Tanks hergestellte und äußerst erfolgreiche Prosecco. Bereitet wird er aus einer Traube, die früher Prosecco hieß, dann aber den neuen Namen Glera erhielt, damit Prosecco als eigene (wenn auch ausgedehnte) geografische Region registriert werden konnte. Das bedeutet, dass keine anderen Erzeuger den Namen verwenden dürfen. Soave wird, in unterschiedlicher Qualität, auch weiterhin hergestellt, wobei die dunkelhäutigen Trauben immer häufiger erst spät geerntet und dann getrocknet werden, um daraus den starken (und lukrativeren) Amarone della Valpolicella zu machen.

Toskana [R: Sangiovese, Cabernet Sauvignon; W: Trebbiano Toscano] Zusammen mit dem Piemont ist die Toskana das Zentrum des italienischen Rotweins. Unmengen von würzigem

Chianti werden hier produziert, vorrangig auf den lieblichen, von Zypressen bewachsenen Hügeln südlich von Florenz. Der beste, bekannt als Chianti Classico, stammt von privaten Weingütern aus den privilegierten Lagen der Kernzone. (Überall in Italien bezieht sich der Begriff »Classico« auf eine ursprüngliche Weinbauzone, bevor sie, hauptsächlich aus kommerziellen Gründen, erweitert wurde.) Brunello di Montalcino ist konzentrierter und haltbarer und kommt aus einer wärmeren, eher südlich geprägten Region etwas weiter südlich, wobei Brunello der Name einer lokalen Variante des Sangiovese ist. Vino Nobile di Montepulciano ist ihm ähnlich, wird aber nicht ganz so geschätzt. An der toskanischen Küste um Bolgheri gibt es eine Gruppe ambitionierter Winzer, die erstklassige Bordeaux-Verschnitte herstellen, inspiriert vom Prototyp Sassicaia, der in den 1970er-Jahren aufkam. Die meisten trockenen toskanischen Weißweine sind ziemlich gewöhnlich und basieren normalerweise auf der sehr neutralen Rebsorte Trebbiano Toscano, die in Frankreich als Ugni Blanc bekannt ist und dort vor allem zu Brandy destilliert wird. Der interessanteste Weißwein ist der Vin Santo, ein Süßwein aus getrockneten Malvasia-Trauben.

Umbrien [R: Sagrantino, Sangiovese; W: Grechetto] Diese im Landesinneren liegende Region unmittelbar südlich der Toskana kann sich zum einen für seine interessanteren Weißweine aus Orvieto rühmen, zum anderen für den feurigen Sagrantino, der aus einer widerstandsfähigen autochthonen roten Weintraube gekeltert wird und eine Spezialität der Stadt Montefalco ist. Die gängigste Rebsorte Umbriens ist jedoch Sangiovese.

Die Marken [R: Sangiovese, Montepulciano; W: Verdicchio] Der berühmteste Wein von der Adriaküste ist ein weißer, der aus der Verdicchio-Traube hergestellt wird. Die besten davon haben eine leicht zitronige Note und reifen hervorragend. Rosso Conero und Rosso Piceno sind die lokalen Rotweine.

Kampanien [R: Agliacino; W: Fiano, Falanghina, Greco] Die Geschichte der Weinberge um Neapel reicht mindestens bis in die Römerzeit zurück, und auf mich wirken die (relativ körperreichen) kampanischen Weine im klassischen Sinne edel. Der Geschmack der Weißweine erinnert an grüne Blätter, während die Rotweine, von denen Taurasi der beste ist, ein festes, pflaumenartiges und irgendwie mineralisches Aroma haben. Sowohl die roten als auch die weißen Vertreter altern gut.

Apulien [R: Negroamaro, Primitivo (Zinfandel), Nero di Troia, Malvasia Nera; W: Bombino Bianco, Minutolo] Jahrzehntelang wurden am relativ flachen, sonnenverwöhnten Absatz des italienischen Stiefels kräftige, dunkle Rotweine erzeugt und nach Norden verschifft, um dort Cuvées herzustellen, die viel größere Berühmtheit erlangten. Das geschieht auch heute noch, aber nachdem dank Rodungsprämien der EU viele Rebflächen weggefallen sind, bemüht sich Apulien um eine eigene Identität für seine besseren Weine. Die meisten davon sind robuste, starke Rote, mitunter mit wahrnehmbarer Süße. Die Weißweine sind ebenfalls mächtig und können etwas zugesetzte Säure benötigen, um frisch zu bleiben. Die Rosés sind tendenziell erfolgreicher.

Sardinien [R: Cannonau (Grenache), Carignano (Carignan); W: Vermentino] Diese trockene Insel hat ein großes Potenzial, das jetzt ganz allmählich auch genutzt wird. Der aromatische, trockene Vermentino wird nun nah und fern kopiert. Mein persönlicher Favorit unter den Carignano-Weinen ist der starke Carignano del Sulcis von der Südspitze Sardiniens, der mit Fülle und mineralischer Note beindruckt.

Sizilien [R: Nero d'Avola, Nerello; W: Catarratto] Sizilien hatte wie Apulien früher reine Zuliefererfunktion, heute dagegen ist diese Insel, die so oft Eroberungen ausgesetzt war, eine der aufregendsten Weinregionen Italiens. Im Westen dominiert der ziemlich einfache Catarratto, einst im Überfluss angebaut, um daraus Marsala herzustellen – heute wird er hauptsächlich als Küchenwein verwendet. Die Rebsorte Nero d'Avola mit ihren süßen Kirscharomen ist *die* rote Traube des westlichen Siziliens, während in den Weingärten im Osten die Sorten variieren. Die Ätna-Region, in der durchsichtige Weine mit interessanten Geschmacksnoten produziert werden, die von ihrem vulkanischen Ursprung künden, wurde zur Pilgerstätte von Weinliebhabern. Die Weine basieren auf den Trauben von Nerello Mascalese und gelegentlich von Nerello Cappuccino. Zudem gibt es jede Menge andere, oft historische, kleine Weinbaugebiete.

SPANIEN

Spanien produziert zwar längst nicht so viel Wein wie Frankreich und Italien, trotzdem ist in keiner anderen Weinnation so viel Land für den Weinbau reserviert wie hier. Dies liegt teils daran, dass die Weinstöcke besonders weit auseinanderstehen müssen, zum einen wegen des geringen Niederschlags, zum anderen weil die Bewässerung so schwierig zu bewerkstelligen ist. Abgesehen von etwas Bobal, Garnacha und Tempranillo sind die sonnenreichen Ebenen der La Mancha südlich von Madrid mit einem Meer von Airén bepflanzt, einer neutralen weißen Traubenart, die Basiswein für spanischen Brandy liefert und nur selten auf Weinetiketten vermerkt ist. Das spanische Pendant der französischen »Appellation d'Origine Contrôlée« ist die Denominación de Origen (kurz DO). Während sich die Weinbaukarten der meisten Weinregionen in Europa in den letzten paar Jahrzehnten wenig geändert haben, entstehen in Spanien andauernd neue DOs, allerdings nicht aufgrund von neuen Pflanzungen, sondern weil bereits bestehende Weinbauorte aufgewertet wurden. Unzählige kleinere DOs, die ich hier nicht eigens aufführe, angefangen von den leicht perlenden Txakolina-Weinen aus dem Baskenland an der Nordküste über Navarra und Somontano am Fuß der Pyrenäen bis hin zu der Ansammlung traditioneller Weinregionen an der zentralen Küste des Mittelmeeres, emanzipieren sich langsam von der reinen Zuliefererrolle für Rotweinverschnitte. Sogar auf den Kanarischen Inseln weit unten südwestlich des spanischen Festlandes werden heutzutage großartige Weine produziert.

Galizien und Bierzo [R: Garnacha, Mencía; W: Albariño, Godello] Der grüne, vom Atlantik umwogte Nordwestteil Spaniens ist inzwischen zu einer angesagten Destination avanciert, die einige der erfrischendsten Weine des Landes bereithält. Rías Baixas sind fjordähnliche Meeresbuchten an der Westküste, wo die Weinstöcke oft an von Granitpfeilern gestützten Pergolas gezogen werden. Hier entstehen trockene Weißweine mit dem Geschmack des Meeres, auf deren Etiketten typischerweise Albariño steht und die dem portugiesischen Vinho Verde auf der anderen Seite des Flusses Miño/Minho nicht unähnlich sind. In Ribeiro und Valdeorras werden ebenfalls gute trockene Weißweine produziert (darunter Varianten des Godello, die dem Puligny ähneln), während die steilen Täler von Ribeira Sacra ungewöhnlich frische Rote hervorbringen. Bierzo liegt geografisch gesehen bereits jenseits der Grenze in der Provinz León, gehört aber zu der Region, deren Weine unter dem kühlenden Einfluss des Atlantiks entstehen und ein Produkt lokaler Traubensorten und ungewöhnlicher Böden (Schiefer) sind. Der ungemein fruchtige, frische Mencía ist Bierzos Geschenk an die Weinwelt.

Rioja [R: Tempranillo, Garnacha (Grenache); W: Viura (Macabeo)] Rioja ist Spaniens historische Region für edle Weine. Sie erlebte im 19. Jahrhundert einen großen Aufschwung, als Winzer aus Bordeaux auf der Suche nach alternativen Weinquellen die Pyrenäen überquerten, weil ihre europäischen Weinstöcke von der versehentlich mit Pflanzenproben aus Amerika eingeschleppten Phylloxera, der Reblaus, zerstört worden waren. Traditionell wurden die Trauben von Kleinbauern vor Ort angebaut, zu Wein verarbeitet und dann an die Kellereien oder »Bodegas« verkauft, wo ihre Erzeugnisse verschnitten und oft lange Jahre in kleinen Fässern aus amerikanischer Eiche, den *barricas*, gelagert wurden. Das machte den Rioja, einen meist blassroten, leicht süßen Wein mit vanilleähnlichem Anklang amerikanischer Eiche, zu einem der am längsten gereiften Weine der damaligen Zeit, denn er wurde traditionell immer erst nach vielen Jahren im Eichenfass verkauft. Als wertvollste Riojas galten die ältesten mit der Qualitätsbezeichnung *Gran Reservas*, die wenigstens fünf Jahre alt sein mussten. Dann kamen, etwas niedriger eingestuft, die *Reservas*, gefolgt von den *Crianzas*, die deutlich weniger Zeit im Eichenfass verbracht hatten, und dem *Vino Joven*, der sehr jung und fruchtig ist.

Neuerdings entstehen jedoch andere Arten von Rioja. Heute bereiten die Bodegas ihren Wein selbst, und zwar in vielfältigeren Stilvarianten: Konzentriertere, dunklere, jüngere Rotweine sind das Ergebnis einer kürzeren Reifezeit in französischen Eichenfässern. Zudem beschließen immer mehr Erzeuger – oft handelt es sich um Weine von einem einzelnen Weingut, wenn nicht sogar aus einer Einzellage –, die geografischen Eigenarten ihrer Riojas in den Vordergrund zu stellen. In Rioja Alta und Rioja Alavesa, den beiden vom Atlantik beeinflussten Subregionen in der Provinz Alva im Westen des Gebietes, dominiert Tempranillo (siehe Seite 104), während in den tiefer gelegenen Regionen des Ebrobeckens, der vom Mittelmeer beeinflussten Rioja Baja, der saftigere, süßere Garnacha vorherrscht. Etwa ein Siebtel der Beeren haben eine blasse Haut und werden zu Weißweinen verarbeitet – die Palette reicht von lebhaft-frisch bis hin zu langlebigen Essenzen mit Eichenfassflair.

Ribera del Duero, Rueda und Toro [R: Tempranillo; W: Verdejo]
Diese drei Regionen sind durch den Fluss Duero verbunden, der
über ein Hochplateau westwärts Richtung Portugal fließt, wo er
Douro genannt wird. Ab den 1980ern und besonders in den
1990ern gab es, ausgelöst von den Preisen für Pingus, den Superstar des 20. Jahrhunderts, einen Investment-Boom in der Region, weshalb man hier nun mehr als 200 Bodegas findet, viele
davon Spekulationsobjekte ohne eigene Weinberge. Obwohl im
Großen und Ganzen ähnliche Rohmaterialien verwendet werden – vor allem Tempranillo, gereift in kleinen Eichenfässern –,
unterscheidet sich Ribera beträchtlich von Rioja. Die Farbe ist
viel dunkler, und er hat ein ausgeprägteres Gaumenprofil, vermutlich weil die Höhenlage und die kühlen Nächte die Frische
konservieren. Die Eiche kann bei einigen dieser Weine etwas
aufdringlich sein.

Tempranillo, hier als Tinta de Toro bekannt, ist auch in Toro
die vorherrschende Traube. Toro liegt in einem wärmeren Gebiet
etwas weiter flussabwärts und bringt daher reifere, alkoholhalti-
gere, im positiven Sinn vollere Weine hervor. Zwischen diesen
beiden Rotwein-Regionen liegt das Weinbaugebiet Rueda, dessen spritzige, trockene Weißweine (gekeltert aus der lokalen Ver-
dejo-Traube und manchmal aus Sauvignon Blanc) in Spanien
sehr gefragt sind. Auch hier verleiht die Höhenlage dem Wein
Frische.

Katalonien [R: Garnatxa (Grenache), Cabernet Sauvignon, Merlot, Tempranillo, Carinyena (Carignan); W: Macabeo, Xarello, Pa-
rellada] Im gastronomisch potenten Nordosten des Hinterlandes
von Barcelona wird eine große Bandbreite verschiedener Weine

produziert. Der bekannteste ist Cava aus Sant Sadurni d'Anoya in der Region Penedès, der meistens, aber nicht immer, nach derselben aufwendigen Methode hergestellt wird wie Champagner (siehe Seite 75). Cava basiert traditionell auf den drei oben genannten weißen Rebsorten, mittlerweile kommen aber auch die Champagner-Trauben Chardonnay und Pinot Noir zum Einsatz. Trotz enormer Qualitätsunterschiede gibt es etliche sehr gute katalanische Schaumweine, wobei einige der ehrgeizigsten Produzenten auf die Verwendung der Herkunftsbezeichnung DO Cava verzichten. Ende der 1980er-Jahre avancierte die Region Priorat urplötzlich zum Superstar der Rotweine (und bringt auch einige saftige Weiße hervor). Basierend auf alten, wenig ergiebigen Garnacha- und Cariñena-Reben, die direkt aus dem dunklen *Licorella*-Schiefer herauszuwachsen scheinen, entstehen hier konzentrierte Weine, die schmecken, als hätten die warmen Felsen sie nur widerstrebend freigegeben. Ganz in der Nähe, in der DO Montsant, findet man ähnliche, aber etwas leichtere Weine. Einige der bemerkenswertesten Gewächse der Region stammen aus dem höher gelegenen Landesinneren, etwa aus Conca de Barberá, und auch in Costers del Segre, noch weiter landeinwärts, gibt es interessante Initiativen. In Empordà an der Costa Brava entstehen Weine, die denen aus Roussillon, gleich hinter der Grenze, sehr ähnlich sind.

Andalusien [W: Palomino Fino, Pedro Ximénes] Dies ist im Wesentlichen eine Sherry-Region, obwohl in letzter Zeit einige Investitionen in die Herstellung ungespriteter Weine geflossen sind und in den Hügeln über der Costa del Sol, vor allem im Umkreis von Ronda, die Tradition, süßen Muskat herzustellen, wiederbelebt wurde. Die Hauptstadt des Sherry ist Jerez de la Frontera, und als ich in den 1970ern begann, über Wein zu schreiben, hatte es den Anschein, als läge hier das Zentrum der Weinwelt. Seitdem ist das Geschäft mit dem Sherry geschrumpft, teils aufgrund von Überproduktion und Preisdrückerei, teils wegen eines Imageproblems. Das alles ist sehr schade, da guter Sherry vermutlich Spaniens markantester Wein ist.

Sherry wird aus Palomino Fino bereitet, der auf dem Kalksteinboden rund um Jerez und um den kleinen Hafen Sanlucar de Barrameda mit seinen weißen Häusern wächst. Der daraus gewonnene Wein reift in alten Fässern, die traditionell in luftigen Räumen gelagert wurden, wo der Atlantikwind sie kühlte, heute jedoch in gewöhnlicheren Lagerhäusern, in denen Temperatur und Luftfeuchtigkeit von Computern gesteuert werden. Der junge Wein wird zur Aufspritung mit neutralem Branntwein versetzt, und ein großer Teil davon reift unter dem sogenannten Flor, einer dünnen, teigig aussehenden Hefeschicht, die verhindert, dass er oxidiert. Die köstlichsten, hellsten Sherrys sind Fino und Manzanilla. Letzterer ist eine Spezialität aus Sanlucar de Barrameda und soll dank der Nähe zum Meer ein leicht salziges Aroma haben. Beide enthalten nur 15 Prozent Alkohol, also kaum mehr als ein ungespriteter Wein aus einer heißen Anbauregion. Amontillado ist im Grunde ein lang gereifter Fino. Dunklere Sherrys wie Oloroso reifen ohne Flor und können ein wenig stärker sein. Cream Sherrys werden mit Traubenmostkonzentrat gesüßt, aber wir Aficionados ziehen die trockenen Sorten vor, nicht zuletzt deshalb, weil die meisten nach wie vor geradezu lächerlich billig sind. Wahre Connaisseurs erkennt man heutzutage daran, dass sie trockenen Sherry schätzen.

Nordöstlich der Sherry-Region liegt das wärmere Weinbaugebiet Montilla-Moriles, wo man ähnliche, jedoch ein wenig weichere Weine produziert. Besonders erwähnenswert ist der dickflüssige, sirupähnliche Wein, der aus der lokalen Pedro-Ximénez-Traube bereitet wird und dessen Süße jeden Zahnarzt schaudern lässt. Zudem dient er in Jerez traditionell zum Aufsüßen von Amontillado und Oloroso.

USA

Die Vereinigten Staaten von Amerika sind der viertgrößte Weinproduzent der Welt, und Kalifornien, das 90 Prozent des gesamten amerikanischen Weins hervorbringt, ist quasi die Supermacht im Reich der Weine. Infolge der Prohibition ist der Weinhandel in den Staaten noch heute eine recht komplizierte Angelegenheit, bei der man durch unzählige Vorschriften eingeschränkt wird. Zudem avancierten die Amerikaner nur sehr langsam zu Weinliebhabern, wenn man bedenkt, dass so viele der Einwanderer, aus denen sich dieses Volk zusammensetzt, aus Ländern stammten, in denen traditionell Wein produziert und getrunken wurde. Um die Jahrtausendwende jedoch zeichnete sich eine gesteigerte Begeisterung für Wein ab, sodass die USA vor Kurzem endlich Frankreich als größten Weinmarkt der Welt überholt haben. Eine Entsprechung des französischen AOC-Systems gibt es in den USA nicht, dafür aber die »American Viticultural Areas« (AVAs), offiziell abgesteckte geografische Regionen, von denen einige, wie zum Beispiel das Columbia Valley im Staat Washington sehr weitläufig (4,4 Millionen Hektar!) und äußerst vielfältig sind. Andere, wie etwa der Stag's Leap District in Napa Valley, sind deutlich kleiner und homogener.

Kalifornien [R: Cabernet Sauvignon, Zinfandel, Merlot, Pinot Noir; W: Chardonnay, (French) Colombard, Sauvignon Blanc, Pinot Gris] Kalifornien spielt eine gewichtige Rolle in der Welt der Weine. Der Großteil von ihnen wächst im sonnenreichen Central Valley und wird unter der recht allgemeinen Bezeichnung »California« verkauft, wobei auf dem Etikett häufig zusätzlich die Namen einer bekannten Rebsorte und/oder eines renommierten Weinherstellers stehen. E. & J. Gallo, der größte Weinhersteller der Welt, dominiert die dortige Produktion und hat seine Finger auch in zahlreichen anderen Unternehmen der gehobenen Klasse. Hier nun die interessanteren Weinregionen Kaliforniens, grob von Nord nach Süd geordnet:

Mendocino Folksongs und volkstümliche Weine gibt es in diesem Landesteil, in dem viel früher als anderswo der Bio-Gedanke bei den Weinbautechniken Einzug hielt, zuhauf. Und in den Pinienwäldern des Anderson Valley ist es auf den Weingütern kühl genug, um edlen Schaumwein, aromatische Rieslingsorten und Gewürztraminer hervorbringen zu können.

Sonoma Das Sonoma County nordwestlich von Napa ist stolz darauf, ganz anders als Napa zu sein – bodenständiger und weniger glamourös. Direkt am Pazifik, im Westteil der viel zu großen AVA Sonoma Coast, liegen einige der kühlsten Weinbaugebiete des Staates. Pinot Noir und Chardonnay dominieren nicht nur hier, sondern seit Langem auch im weiter landeinwärts gelegenen und deutlich wärmeren Russian River Valley, dessen Weine etwas vollmundiger sind. Nördlich davon (immer noch im Landesinneren und ebenfalls ziemlich warm) befinden sich die AVA Dry Creek Valley, berühmt für ihre alte Rebsorte Zinfandel (einige der Weinstöcke hier wurden noch von italienischen Einwanderern gepflanzt), und das weitläufige Alexander Valley, wo ein paar edle Cabernet Sauvignons erzeugt werden.

Napa Das Napa Valley, das in den frühen 1970er-Jahren noch eine einfache Bauerngemeinde war, ist mittlerweile zur glamourösesten Weinregion der Welt avanciert. Gesegnet mit einer reizvollen Kombination von schöner Natur, zuverlässig sonnigem Wetter und einer natürlichen »Klimaanlage« in Gestalt der nahe gelegenen San Francisco Bay, lockt es nicht nur unzählige Touristen an, sondern auch massenhaft Investoren – erfolgreiche amerikanische Geschäftsleute aus dem weiter südlich gelegenen und unendlich kapitalkräftigen Silicon Valley beispielsweise, die scharf darauf sind, ihr schwer verdientes Vermögen in ihren Traum von einer Weinproduktion zu stecken. An Wochenenden kommt man manchmal auf den Straßen nur im Schneckentempo voran, aber die schönen Ausblicke, die zahlreichen Verkostungsmöglichkeiten und die guten Restaurants gleichen das aus.

Je weiter südlich (und je näher an der Bucht) sich die Weinberge befinden, umso kühler wird es. Deshalb ist Carneros, das sich entlang der Südgrenze der Verwaltungsbezirke Napa und Sonoma erstreckt und das kühlste Gebiet von allen ist, auch eine Hochburg der Schaumweinproduktion. Aber auch Pinot Noir und Chardonnay werden hier bereitet. Etwas weiter nördlich trifft man auf die berühmtesten AVAs, nämlich Stag's Leap, Oakville, Rutherford und St. Helena, wobei diese Namen wegen der Attraktivität der überregionalen Angabe »Napa Valley« und der Vielfalt der Verschnitte nur selten auf den Etiketten zu finden sind. Cabernet Sauvignon ist hier die am häufigsten angebaute Traube, und die daraus bereiteten Weine gehören zu den köstlichsten Vertretern dieser Rebsorte. Oft sind die Trauben so reif, dass der Gehalt an Säuren und Gerbstoffen viel niedriger ist als in Bordeaux und keine Notwendigkeit besteht, sie mit ausgleichendem Merlot zu verschneiden.

Sierra Foothills Im alten Bergbaugebiet auf dem Weg zur Sierra Nevada wird nicht mehr so viel Wein angebaut, dafür gibt es hier einige besonders alte Rebflächen (vor allem mit Zinfandel), und die hier erzeugten Weine haben einen ausgesprochen rustikalen Charakter. Das Landschaftsbild unterscheidet sich stark vom Napa Valley mit seinen gepflegten Grünflächen und zahlreichen Skulpturen.

Südlich der Bay Area Einige der edelsten Gewächse und ältesten Weinstöcke finden sich in isolierten und oft besonders hoch gelegenen Flecken in den Santa Cruz Mountains zwischen dem Silicon Valley und dem Pazifik. Das windgebeutelte Salinas Valley in Monterey gleich südlich davon ist Farmland für die industrielle Erzeugung von Obst und Gemüse, darunter auch Trauben. Eine Vielzahl von Rebsorten wächst hier, wobei die wohl interessantesten Weine aus Pinot Noir bereitet werden, der etwas weiter oben angebaut wird, zum Beispiel in den Santa Lucia Highlands, in Chalone (Achtung, die AVA Chalone ist nicht gleichzusetzen mit der inzwischen recht lax verwendeten Handelsbezeichnung Chalone) und auf den Anhöhen des Pionier-Weingutes Calera in der AVA Mount Harlan.

San Luis Obispo und Santa Barbara Die AVA Central Coast ist das größte Weinbaugebiet Kaliforniens. Sie erstreckt sich über 400 Kilometer von der San Francisco Bay bis zu dem Gebiet östlich von Santa Barbara, wobei die unter »Südlich der Bucht« aufgelisteten Regionen ein Teil davon sind. In der Umgangssprache wird jedoch oft der Begriff Central Coast verwendet, wenn es um die riesigen Weinflächen geht, die südlich von Monterey in den Countys San Luis Obispo und Santa Barbara für die industrielle Weinherstellung angelegt wurden. Zur Zeit der Gründung zahlreicher spanischer Missionen in Kalifornien zählten Weine aus San Luis Obispo zu den am meisten geschätzten im Land, doch echte Weinkultur kehrte hier erst wieder nach den engagierten Reformen der 1980er-Jahre ein. Im Norden von San Luis Obispo liegt Paso Robles, eine relativ warme, mitunter gefährlich trockene Enklave im Landesinneren, die bestens bekannt ist für Rhône-Weine, welche in letzter Zeit in großem Umfang angebaut wurden. Südlich davon befinden sich die von Agrarunternehmen gegründete kühlere AVA Edna Valley sowie die AVA Arroyo Grande, wo das Weingut der Familie Talley der Star ist.

Santa Barbara County erlangte im Jahr 2004 durch den Film *Sideways* Berühmtheit in der Weinwelt. Obwohl es so weit südlich liegt, ist es topografisch so situiert, dass der kühlende Einfluss des pazifischen Ozeans vorherrscht, insbesondere in der 2001 eingerichteten AVA Sta. Rita Hills (die chilenische Großkellerei Santa Rita besteht auf dieser Schreibweise), die sich nur etwas weiter nördlich befindet. Hier ist es wirklich ausgesprochen frisch, da der Wind selbst im Sommer den Nebel von der nur wenige Kilometer entfernten Küste hereintreibt. Wenn man sich von hier aus durch das Santa Ynes Valley weiter ins Landesinnere begibt, steigen die Temperaturen so sehr, dass man sich in Happy Canyon, der östlichsten AVA innerhalb des Tales, darauf spezialisiert hat, kräftige rote Bordeaux-Verschnitte zu produzieren. Die AVAs Santa Ynes Valley und Santa Maria Valley etwas weiter nördlich liefern sich einen ewigen Konkurrenzkampf. Das Santa Maria Valley ist ein wenig flacher und kühler, mit etlichen ausgedehnten Weinbergen, darunter die Bien Nacido Vineyards, eine 800 Hektar umfassende Fläche mit sorgfältig gepflegten Kulturen, die von Obst- und Gemüseplantagen umgeben sind. Auch die kleine Stadt Los Alamos, die zwischen Santa Maria Valley und Santa Ynes Valley liegt, ist umgeben von zahlreichen Weinbergen, deren Lesegut vielfach nach Norden verschifft und zur weiteren Verarbeitung an den einen oder anderen kalifornischen Großproduzenten verkauft wird.

Oregon [R: Pinot Noir; W: Pinot Gris, Chardonnay] So wie sich Sonoma bewusst von Napa abgrenzt, tut dies Oregon bekanntermaßen gegenüber Kalifornien. Pinot Noir hat hier lange dominiert. Das Klima ist viel kühler, nasser und wolkiger, und die Weingüter sind kleiner und weniger kommerziell ausgerichtet und werden oft biologisch bewirtschaftet. Schon früh wurde Wert auf nachhaltige Produktionsmethoden gelegt, wenngleich das feuchte Klima die Anfälligkeit der Stöcke gegen Krankheiten erhöhte. Das Zentrum Oregons ist das Willamette Valley (Betonung auf dem kurzen a), wo die Rebflächen von Douglasien eingerahmt sind. Weißweinsorten sind in der Minderheit;

ursprünglich war Pinot Gris die Rebsorte der Wahl, allerdings lässt neuerdings die Qualität des Chardonnay aus Oregon dank Klonen aus Burgund zusehends aufhorchen.

Washington [R: Cabernet Sauvignon, Merlot, Syrah; W: Chardonnay, Riesling] Das Hinterland von Seattle jenseits der Cascades ist im Grunde eine Wüste, aber der Columbia River und andere Flüsse ermöglichen dort den großflächigen Anbau von Obst und Gemüse, darunter Äpfel und neuerdings auch Weintrauben, sodass Washington in puncto Weinerzeugung inzwischen hinter Kalifornien an zweiter Stelle liegt, wenn auch mit einer viel niedrigeren Produktionsrate. Die Winter können hier so kalt sein, dass die Reben gelegentlich erfrieren. Weine aus Washington schmecken durch die Bank sehr fruchtig, ganz egal, aus welcher der zahlreichen hier angebauten Rebsorten sie bereitet wurden. Rote Bordeaux-Verschnitte sind eine besondere Spezialität, obwohl es seit etwa 2005 Bestrebungen gibt, Washington als Großerzeuger von Riesling zu positionieren, was teils auf die Beharrlichkeit des dominierenden Weinbaubetriebs Château Ste. Michelle zurückzuführen ist. Auch der hiesige Syrah kann sehr wohlschmeckend sein.

ANDERE WEINBAUREGIONEN

PORTUGAL

[R: Aragonez/Tinta Roriz (Tempranillo), Castelão/João de Santarem/Perequita, Touriga Franca, Trincadeira/Tinta Amarela, Touriga Nacional, Baga, Tinta Barroca; W: Síria/Roupeiro, Arinto/Pedernã, Loureir] Schauen Sie sich nur mal diese Liste von Portugals meistgepflanzten Rebsorten an! Schon die große Zahl an lokalen, unbekannten Namen und Synonymen zeigt sehr deutlich, wie vielfältig Portugals Weinproduktion ist. Natürlich wird auch ein wenig Cabernet und Chardonnay angebaut, aber im Grunde ist Portugal seinem einzigartigen Charakter treu geblieben. Die Weine sind tendenziell trockener und fester als diejenigen, die jenseits der Grenze zu Spanien produziert werden. Die Säuren und Gerbstoffe sind deutlicher spürbar.

Einige der aufregendsten Weine gibt es im Norden: Vinho Verde, Weißweine mit Nerv, die auf Exportmärkten weit oben im Norden verkauft werden; die faszinierenden Weine aus dem nicht minder faszinierenden Douro-Tal (sowohl die diversen dunkelroten, süßen Portweine als auch rote und weiße Tafelweine von denselben Rebsorten); langlebiger Dão, darunter Touriga Nacional, eine Spezialität, sowie Bairrada aus der unvergleichlichen Baga-Traube. Die drei letztgenannten Weine sind für gewöhnlich rot, aber man findet auch immer öfter großartige Weißweine. Das Douro-Tal ist einer der zauberhaftesten Orte der Weinwelt – dort gibt es praktisch nichts als spektakuläre Weinberge und hier und da hoch über dem Fluss thronend ein Weingut, *Quinta* genannt. Vintage-Portwein, hergestellt aus dem Lesegut eines einzigen hervorragenden Jahres, ist die edelste Sorte, benötigt aber jahrzehntelange Flaschenreifung, bevor er sich von seiner besten Seite zeigt. Vorteilhafter ist das Preis-Leistungs-Verhältnis meist bei Spitzen-Portweinen eines einzigen Weinguts (»Single Quinta Vintage Ports«) aus früher reifenden Weinen von einem der besseren Winzer. Dunkelgelbe oder hellbraune Portweine, die jahrelang in Fässern anstatt in Flaschen reifen, heißen »Tawny«, im Unterschied zu den jungen, einfacheren »Ruby«-Typen, die tiefrot sind.

DEUTSCHLAND

[R: Spätburgunder (Pinot Noir); W: Riesling, Müller-Thurgau] Bei den deutschen Weinen hat sich eine Revolution ereignet, was sich jedoch unter den Weintrinkern außerhalb des Landes leider noch nicht weit genug herumgesprochen hat. Süße Weine sind inzwischen eher die Ausnahme; dank des Klimawandels reifen die Trauben nun vollständig aus und benötigen keine zugesetzte Süße mehr, um von der herben Säure grüner Trauben abzulenken.

Deutschland ist die Heimat der edlen, aber kompromisslosen Riesling-Traube (siehe Seite 97), die in allen Weinbaugebieten des Landes wächst, aber den wunderbar zarten Gipfel ihrer Raffinesse wohl im Moseltal erreicht. Hier entstehen einige Weine, die unter zehn Prozent Alkohol enthalten und trotzdem über Jahrzehnte gelagert werden können. Weine aus der Pfalz und aus Gegenden, bei denen »Rhein« im Namen vorkommt, sind tendenziell etwas kräftiger, weil sie etwas weiter südlich angebaut wurden. In Deutschland entstehen inzwischen aber auch aufregende, oft im Eichenfass ausgebaute trockene Weißweine mit viel Substanz aus der Grauburgunder- und der Weißburgunder-Traube (Pinot Gris/Pinot Blanc). Zudem wird in Franken, wo kontinentales Klima herrscht, die lange Tradition der Herstellung eleganter, erdiger Silvaner weitergeführt. Als der Riesling noch Reifeprobleme hatte, war Müller-Thurgau weit populärer, doch mittlerweile trifft man diese früh reifende und eher unscheinbare Rebsorte zum Glück nicht mehr so häufig an. Dafür werden in Deutschland immer mehr Rotweine produziert, darunter sogar Cabernet Sauvignon und Syrah. Die rote Burgunder-Traube erfreut sich größter Beliebtheit und ergibt immer bessere Weine, vor allem in Baden, von wo aus es ja bloß ein Katzensprung ins Elsass am gegenüberliegenden Rheinufer ist. Innerhalb Deutschlands sorgt die große Nachfrage danach für konstante, relativ hohe Preise. Die Deutschen doktern immer wieder an ihren Güteklassen herum. Achten Sie auf Rebsorte, Jahrgang, Hersteller und Anbaugebiet und denken Sie daran, dass Weine, auf deren Etikett »Auslese«, »Beerenauslese« oder »Trockenbeerenauslese« steht, süß schmecken.

ÖSTERREICH

[R: Zweigelt, Blaufränkisch; W: Grüner Veltliner, Welschriesling, Müller-Thurgau, Riesling] Die Österreicher sind – mit gutem Grund – unglaublich stolz auf die hohe durchschnittliche Qualität ihrer Weine. Die Vorzeigetraube des Landes ist Grüner Veltliner, die praktisch auf allen Rebflächen in Ostösterreich angebaut wird und vollmundige, aber sehr prägnant-präzise, süffige Weine mit kräftigen Aromen erbringt, die (mich jedenfalls) an weißen Pfeffer und Gewürzgurken mit Dill erinnern. Welschriesling hat nichts mit dem Riesling aus Deutschland zu tun, und obwohl man ihm dort naserümpfend begegnet, kann er – vor allem mit etwas Chardonnay verschnitten – sehr gute Weine mit einer schmeichelnden, fruchtigen Süße ergeben, etwa rund um den Neusiedlersee im Burgenland. Müller-Thurgau schmeckt auch in Österreich überwiegend langweilig, dafür gedeiht hier mancherorts ein atemberaubender Riesling, insbesondere in der Wachau entlang der Donau sowie im Kremstal und im Kamptal. Eine Spezialität der Steiermark im Südosten des Landes ist ein Sauvignon Blanc mit nervöser Note. Eiche und internationale Rebsorten waren in Österreich – wie in vielen anderen Ländern auch – eine Zeitlang sehr angesagt, inzwischen hat man sich aber darauf besonnen, wie ausdrucksstark der eigene erfrischende Blaufränkische in Kombination mit umsichtigem Barrique-Ausbau sein kann. Der saftige Zweigelt ist eine superfruchtige, etwas weniger ernsthafte Spezialität.

NORD- UND WESTEUROPA

Dank des Klimawandels breitet sich der Weinanbau immer weiter in Richtung der Polkappen aus, jedenfalls auf der nördlichen Halbkugel. So kann beispielsweise **England** eine zusehends ernst zu nehmende Weinindustrie vorweisen, die aus nachvollziehbaren Gründen im Süden des Landes angesiedelt ist. Auch die **Benelux**-Länder gehören mittlerweile zu den allgemein anerkannten Herstellernationen, und sogar in **Dänemark** und **Schweden** wird etwas Wein produziert.

MITTEL- UND (SÜD)OSTEUROPA

Weine aus der **Schweiz** sind in letzter Zeit deutlich besser geworden, allerdings sind sie leider meist zu teuer für jeglichen Export. In vielen Ländern Osteuropas wurde mit EU-Geldern großzügig in die Aufrüstung von Weinbergen und Kellereien investiert. Zwei der interessantesten Weinländer sind **Slowenien** (siehe Friaul, Seite 118) und vor allem **Kroatien**, wo man aus der Malvasia-Traube faszinierende trockene Weißweine bereitet. Kroatien hat sich übrigens als Heimat jener Rebsorte entpuppt, die man in Kalifornien als Zinfandel und in Apulien als Primitivo kennt. Auch **Serbien** kann bereits mit einigen beeindruckenden Weinen aus internationalen Rebsorten aufwarten. **Ungarn** hat seine eigenen, ganz besonderen Rebsorten und Weinstile. Am bekanntesten ist der langlebige, süße Tokajer, mittlerweile aber auch der trockene reinsortige Furmint, der aus der gleichen Traube bereitet und im äußersten Nordosten des Landes angebaut wird. **Bulgarien** produziert ebenfalls einige exquisite Weine, hauptsächlich aus internationalen Rebsorten, im Gegensatz zu **Rumänien**, das mit einigen durchwegs interessanteren eigenen Rebsorten rasch aufholt. Das Nachbarland **Moldawien** verfügt über ein enormes Potenzial. Hier werden internationale Rebsorten großflächig angebaut, jedoch erweist sich dort die schwierige wirtschaftliche Lage als Hemmschuh. Größere Weinexporte aus der **Ukraine** werden wohl noch eine Weile auf sich warten lassen, zumal das Land sein vielversprechendstes Weinbaugebiet, die Krim, an Russland verloren hat. Winzige Mengen interessanten Rotweins kommen aus **Armenien**, so richtig aufhorchen lässt im Bereich der Weinherstellung dafür **Georgien**, wo Wein ein fester Bestandteil von Kultur und Religion ist. Es gibt dort eine ganze Reihe autochthoner Sorten mit faszinierendem Geschmack, und die traditionelle Herstellungsmethode, bei der die Trauben zur Gärung in Tonamphoren, den sogenannten *Quevri* oder *Kvevri*, in der Erde vergraben werden, tut ein Übriges dazu.

ÖSTLICHER MITTELMEERRAUM

Wie Portugal ist auch **Griechenland** eigene Wege gegangen und kann auf eine Reihe sehr besonderer Weinstile aus autochthonen Rebsorten verweisen; viele davon stammen von den diversen griechischen Inseln. Die besten Weine sind jedoch nicht, wie man dies von einem südeuropäischen Land erwarten würde, rot, sondern weiß, darunter Assyrtikos aus Santorin sowie allerlei kretische Spezialitäten. Im Mittelalter gab es nur wenige Weine, die so hoch geschätzt wurden wie die süßen Vertreter aus Griechenland. Der Ursprung des Weinbaus wird irgendwo zwischen Georgien und Anatolien in der Osttürkei vermutet, und die **Türkei** kann wie Griechenland eine jahrtausendealte Weinkultur vorweisen. Vor einigen Jahren waren türkische Weinhersteller für kurze Zeit auf der internationalen Bühne anzutreffen, im Moment hat es dieser Industriezweig aufgrund der politischen Lage im Lande jedoch wieder eher schwer. Es ist eine Ironie der Geschichte, dass so viele Länder dieser Region, die als Wiege der Weinproduktion und -kultur gilt, zurzeit der strengen islamischen Gesetzgebung unterliegen. Eine erfreuliche Ausnahme bildet der **Libanon**, aus dem nach wie vor einige hervorragende Weine kommen. Der Nähe zu den syrischen Kriegsgebieten zum Trotz liefert die Bekaa-Ebene kräftige Rote und so manchen faszinierenden Roséwein. Im südlichen Nachbarland **Israel** hat sich eine lebhafte Weinkultur entwickelt, die große Ähnlichkeit mit der kalifornischen hat (leider auch, was die Preise angeht). Die Rebflächen und Weinkeller auf **Zypern** werden gerade aufgerüstet. Ich bin gespannt, wie es weitergeht.

KANADA

[R: Pinot Noir, Cabernet Sauvignon; W: Chardonnay, Vidal] Die beiden kanadischen Provinzen, in denen am meisten Wein produziert wird, sind einige tausend Kilometer voneinander entfernt. In Ontario liegen die Weinbaugebiete am Fluss Niagara, nördlich der berühmten Wasserfälle. Hier hat man sich mit Eiswein, einem süßen Wein, der aus gefrorenen Beeren hergestellt wird, einen Namen gemacht. Die Winter in Ontario sind kalt, wenn auch nicht mehr ganz so kalt wie früher, und die Sommer sind warm genug, um sogar einige Cabernet-Trauben ganz ausreifen zu lassen. Chardonnay und Schaumwein aus Ontario können äußerst überzeugend sein.

Auch in British Columbia entstehen große Mengen an Wein, vor allem im Okanagan-Tal, an den oft fotografierten Ufern des gleichnamigen Sees. Hier werden die meisten internationalen

Rebsorten angebaut, und die ausgesprochen fruchtigen, knackig-sauren Weine, die hier heranreifen, sind denen aus Washington State gleich jenseits der Grenze zur USA nicht unähnlich.

SÜDAMERIKA

Argentinien [R: Malbec, Bonarda, Cabernet Sauvignon; W: Chardonnay, Torrontés] Abgesehen von den hier aufgezählten Rebsorten werden in Argentinien große Mengen an Trauben mit rosaroten Schalen angebaut, die für die Produktion sehr einfacher Weine für den nationalen Konsum bestimmt sind. Argentiniens Aushängeschild ist jedoch der vollmundig-reife, würzig-samtige Malbec, der (vor allem in Nordamerika) viel beliebter ist als der Malbec aus der Region, aus der er ursprünglich stammt, nämlich Cahors in Südwestfrankreich. Das Gros der argentinischen Weinberge liegt am Fuße der Anden, wo der geschmolzene Schnee lange die nötige Bewässerung für die Vitikultur lieferte. Die relative Nähe zum Äquator wird durch die gebirgige Lage und die damit einhergehenden gemäßigten Temperaturen ausgeglichen. Es ist nicht ungewöhnlich, dass die Produzenten auf den Etiketten genaue Angaben zur Meereshöhe der Rebflächen machen (die sich hier nicht selten auf etwa 1000 Metern über dem Meeresspiegel befinden, während in Europa 500 Meter als Obergrenze gilt). Obwohl rote Weine viel häufiger sind, entstehen in Argentinien auch einige ziemlich elegante Chardonnays, die man als »mineralischere« Version der kalifornischen Chardonnays bezeichnen könnte. Eine weitere Spezialität sind berauschende, betörend duftende und recht körperreiche Weißweine aus der Torrontés-Traube.

Chile [R: Cabernet Sauvignon, Merlot; W: Chardonnay, Sauvignon Blanc] In der chilenischen Weinindustrie zeichnet sich zurzeit ein Wandel ab. Ursprünglich konzentrierte sie sich auf das Gebiet rund um die Hauptstadt Santiago, nicht allzu weit entfernt von Mendoza, der größten argentinischen Weinstadt, die sich gleich hinter den Anden befindet. Inzwischen jedoch hat sich der Weinbau schon beinahe über die gesamte Fläche dieses langen, schmalen Landes ausgebreitet. In Chile gibt es vergleichsweise wenig Probleme mit Weinkrankheiten, wohl aufgrund der relativ isolierten Lage des Landes, und das Klima ist dank verlässlichen Sonnenscheins und (bis vor Kurzem jedenfalls) reichlicher Bewässerung ideal für den Anbau von Wein. Als Quantität noch vor Qualität ging, befanden sich die Rebflächen noch hauptsächlich im fruchtbaren Valle Central, doch heutzutage kreieren ehrgeizige Weinhersteller neue Weinbaugebiete nicht nur im Norden des Landes und ganz unten im Süden, wo man von den kühlenden Einflüssen des Pazifiks profitiert, sondern auch in noch höheren Berglagen. Bis vor Kurzem wurden in Chile nur Weine aus internationalen Rebsorten produziert, und die Herstellung unterlag der strikten Kontrolle durch eine Handvoll der einflussreichsten Familien Chiles. Doch nun hat sich eine neue Generation von Winzern etabliert, die alte, unbewässerte Weinstöcke in so südlichen Regionen wie Maule und Itata nutzt.

Auch **Brasilien** und **Uruguay** produzieren durchaus annehmbare Weine, wobei sich Uruguay auf die von baskischen Einwanderern importierte Tannat-Traube spezialisiert hat.

SÜDAFRIKA

[R: Cabernet Sauvingnon, Shiraz/Syrah, Pinotage; W: Chenin Blanc, Colombard, Sauvignon Blanc, Chardonnay] Wie in Chile wurde auch die Weinszene in Südafrika wiederbelebt von einem neuen Trend bei den Winzern: Französische Klassiker zu kopieren ist out, unverkennbar südafrikanische Weine sind in. Das am häufigsten anzutreffende Rohmaterial stammt von den alten Buschreben zwischen den Weizenfeldern im trockenen Landesinneren von Swartland. Sie bilden einen krassen Kontrast zu den vielerorts bewässerten und deutlich gepflegter wirkenden Weinstöcken in Stellenbosch, Franschhoek und Paarl, wo tendenziell eher internationale Rebsorten angebaut werden. Doch genau wie in Chile wurden auch hier viele Betriebe verlegt, sei es in höhere Lagen, sei es an die Küste mit ihrem kühlenden Einfluss. Eine weitere Parallele ist die Wertschätzung der breiten Palette an Weinstilen und Aromen in diesem Land, das die politische Isolation zweifellos hinter sich gelassen hat, auf dem Weg zu einer wirklich gleichberechtigten Gesellschaft allerdings noch so einige Hindernisse überwinden muss.

AUSTRALIEN

[R: Shiraz, Cabernet Sauvignon; W: Chardonnay] Wein spielt in der australischen Kultur eine enorm wichtige Rolle. Hergestellt wird er nicht nur in den meisten Regionen, die kühl und feucht genug sind, um dort qualitativ hochwertige Trauben anbauen zu können, sondern auch in einigen wärmeren, bewässerten Gebieten im Landesinneren. Australien hat Ende der 1980er-Jahre praktisch bei null angefangen, gehört inzwischen aber zu den aktivsten Weinexporteuren der Welt und ist außerdem ein wichtiger Akteur in der önologischen Forschung und Entwicklung. Allerdings wurde dem Land sein Erfolg beinahe zum Verhängnis, denn viele Konsumenten assoziieren Australien mit Weintechnologie und Massenmarkt. Tatsächlich findet man im südlichen Australien durchweg kleine Nester, in denen edle Weine entstehen, was den hervorragenden natürlichen Voraussetzungen ebenso geschuldet ist wie den Fähigkeiten und der Entschlossenheit der Winzer in puncto Anbau und Verarbeitung.

Von Industriegiganten produzierter billiger Shiraz und sonniger (in letzter Zeit allerdings zusehends flacher) Chardonnay machen nur einen Teil der hiesigen Weinwelt aus. Zu ihren interessanteren und dezidiert australischen Protagonisten zählen beispielsweise Sémillon aus dem Hunter Valley, supersüße, in Eiche ausgebaute Likörweine, stahlige Rieslinge aus dem Clare Valley und dem Eden Valley, sonnenverwöhnter Barossa-Shiraz, feine Pinots von der Mornington-Halbinsel, aus dem Yarra Valley und aus Tasmanien, Cabernets und Sauvignon/Sémillon-Verschnitte vom Margaret River und ganz generell selbstbewusste Erzeugnisse aus den Bundesstaaten South Australia und Victoria. Die besten stammten tendenziell von den zahlreichen über den gesamten Kontinent verstreuten engagierten und kompetenten Familienbetrieben, die jedoch Konkurrenz von einer neuen Generation von Herstellern bekommen haben. Neuerdings spielen die Naturweinbewegung und insbesondere spezielle geografische Gegebenheiten eine maßgebliche Rolle. Aufregende Zeiten für all jene, die bereit sind, die Billigwein-Angebote im Supermarkt links liegen zu lassen. Und seit Australien wie Neuseeland die Nase voll hat von minderwertigen Korken, produziert es den Großteil seiner Weine für Konsumenten, die praktische Schraubverschlüsse zu schätzen wissen.

NEUSEELAND

[R: Pinot Noir; W: Sauvignon Blanc] Keine Nation ist so stolz auf ihre Weine wie die Neuseeländer, und neuseeländischer Sauvignon Blanc ist nicht nur bei ihnen, sondern auch bei Australiern und Briten ausgesprochen populär. Man könnte durchaus in Versuchung geraten zu behaupten, dass mit der Erwähnung der beiden oben erwähnten Rebsorten die Geschichte des neuseeländischen Weins hinlänglich erzählt ist, so besessen sind sowohl die Hersteller als auch viele Konsumenten des Landes von ihnen. Die Nordinsel und vor allem die Südinsel feiern riesige kommerzielle Erfolge mit dem »benutzerfreundlichen« Stil ihres Sauvignon Blanc (siehe Seite 96), einer Spezialität der ausgedehnten Region Marlborough. Kernige Säure und überschwängliche Fruchtigkeit sind die Markenzeichen jener neuseeländischen Weine, die besonders einfach zu genießen sind. Doch immer mehr Winzern gelingt es inzwischen, auch etwas subtilere, langlebigere Weine zu erzeugen.

ASIEN

Überall in Asien sprießen die Rebstöcke, zuweilen an Orten, an denen man es am allerwenigsten erwartet, denn Wein erfreut sich in Asien großer Beliebtheit, sei es nur als Getränk, als Freizeitbeschäftigung oder als Statussymbol. Die rasantesten Zuwachsraten sind in China zu verzeichnen; landeseigenen Statistiken zufolge ist das Land im Begriff, den USA den vierten Platz in der Rangfolge der Herstellernationen mit den größten Rebflächen weltweit streitig zu machen.

NEUE VS. ALTE WELT

Gegen Ende des 20. Jahrhunderts waren wir Wein-Freaks ziemlich besessen von den Unterschieden zwischen Weinen aus europäischer Herstellung und solchen aus Übersee. Uns war aufgefallen, dass die Weine der Alten Welt verglichen mit denen der Neuen Welt anfangs tendenziell eher verhalten, dafür aber langlebiger waren. In Europa wurde auf den Etiketten die sogenannte Appellation, also die genaue geografische Herkunft der Weine, angegeben, bei den Weinen der Neuen Welt standen dort die Namen der Rebsorten. Die Weine der Neuen Welt waren häufig ein Produkt neuester Technologien, während in den Weinbaugebieten Europas noch Landwirte mit Schwielen an den Händen die Richtung vorgaben. Fliegende Weinmacher strömten in Scharen in die weniger renommierten Kellereien Europas und predigten, Sauberkeit sei ein mindestes ebenso wichtiges Qualitätsmerkmal eines Weins wie Fruchtigkeit.

Jetzt, im 21. Jahrhundert, treten die Unterschiede zwischen Europa und dem Rest der Welt längst nicht mehr so offenkundig zutage. So gut wie alle aufstrebenden Weinproduzenten hüben wie drüben gehen auf Reisen, um andernorts Erfahrung zu sammeln, und knüpfen – dem Internet sei Dank – ein Netzwerk an Kontakten, das sich über die gesamte Weinwelt erstreckt. Alle lernen voneinander und haben offenbar in etwa das gleiche Ideal, nämlich den Charakter eines Ortes möglichst akkurat und mit einem Mindestmaß an kellertechnischen Eingriffen auf den Wein zu übertragen. Die Weinqualität wird nicht mehr an der Anzahl neuer kleiner Eichenfässer gemessen, die sich ein Weinproduzent alljährlich zulegt, und auch nicht mehr daran, wie reif die Trauben bei der Lese waren. Der Alkoholgehalt sinkt, neue Barriques sind passé, große alte Eichenfässer und Betontanks gelten bei den meisten Weinherstellern inzwischen als moderner – und zwar in der Alten genauso wie der Neuen Welt.

Weinglossar

Alkohol Ohne Alkohol wäre Wein nur Fruchtsaft. Bei der Gärung wird der in den Trauben enthaltene Zucker zu Alkohol umgewandelt.

Appellation Eine kontrollierte geografische Herkunftsbezeichnung oder zumindest ein gesetzlich festgelegtes Gebiet (etwa die *American Viticultural Areas*, die sich über einige hunderttausend oder sogar wenige Millionen Hektar erstrecken können), aber – wie etwa im Falle der französischen AOCs oder AOPs – über die reine Herkunft des Weins hinaus auch die Art der Reberziehung, das Verhältnis der verwendeten Rebsorten, die Art der Ernte sowie die Verarbeitung des Leseguts und den Ausbau der Weine vorgeben können. In Italien lautet die Bezeichnung DOC und DOCG, in Spanien DO.

Assemblage Gibt für gewöhnlich genau an, aus welchen Rebsorten zu welchen Anteilen eine Cuvée besteht, bezieht sich aber auch auf den Prozess des Verschneidens eines Weins, insbesondere bei hochwertigem Bordeaux.

Belüftung Man kann einen Wein in ein Dekantiergefäß (Dekanter) umfüllen, um ihn vor dem Servieren »atmen« zu lassen (und somit seine Aromen zugänglicher zu machen). Siehe »Belüften und dekantieren«, Seite 85.

Blindverkostung Weinprobe, bei der keinerlei Informationen über die Weine vorhanden sind. Bei Halbblindverkostungen ist bekannt, welche Weine verkostet werden, nicht jedoch, welcher sich gerade im Glas befindet.

Chaptalisierung Zugabe von Zucker zum *Most* vor der *Gärung*, um den *Alkohol*gehalt des fertigen Weins zu erhöhen. Siehe »Wie stark ist mein Wein?« (Seite 27).

Château Französisch für »Schloss«, vor allem im Weinbaugebiet Bordeaux gebräuchlicher Begriff für jedes noch so kleine Gut, auf dem Wein angebaut und verarbeitet wird.

Commune Französisch für Gemeinde, italienisch »comune«.

Cru Französisch für Gewächs. Premier Cru steht im Burgund für hochwertige Weine aus einer ausgezeichneten Lage. Die höchste Steigerungsstufe ist Grand Cru. In Italien bezeichnet Cru besondere Weinlagen mit deutlich erkennbarem eigenen Charakter, während ein Cru du Beaujolais aus einer der zehn *Communes* stammt, die die qualitative Spitze der Produktion bilden (siehe Seite 112).

Cru Classé Französisch für *klassifiziertes Gewächs*.

Cuve close Verschlossener Tank, steht für das sogenannte Tankgärverfahren, mit dem Schaumwein hergestellt wird.

Cuvée Synonym für Verschnitt.

Domaine In Burgund gebräuchlicher Begriff für einen (meist recht kleinen) Erzeugerbetrieb, vergleichbar mit *Château* in Bordeaux, wobei eine Domaine auch aus einigen wenigen Rebzeilen auf verschiedenen Weinfeldern bestehen kann, die jeweils einer unterschiedlichen *Appellation* angehören.

Ertrag In Europa meist in Hektoliter pro Hektar gemessener Wert, der das Maß der Produktivität eines Weinbergs angibt. In Übersee wird häufiger die Angabe »tonnes per acre« verwendet. Je geringer der Ertrag, desto konzentrierter im Allgemeinen der Wein, doch die meisten Rebstöcke gedeihen besser, wenn die Erntemenge nicht (üblicherweise durch allzu rigoroses Stutzen) beschränkt wird.

Flaschenreife Entwicklungs- und Reifeprozess, den jeder Wein im Laufe der Zeit in der Flasche durchläuft. Wenn die diversen Inhaltsstoffe Zeit haben, miteinander zu interagieren, können sich daraus interessantere Aromen ergeben. Tannine können sich absetzen, was zur Folge hat, dass der Wein weniger herb schmeckt. Die Flaschenreife steht nicht in direktem Zusammenhang mit dem *Jahrgang*.

Gärung Der Prozess, bei dem der Fruchtzucker in den Beeren unter Einwirkung von *Hefe* in *Alkohol* und *Kohlendioxid* umgewandelt wird.

gemischter Satz Wein aus unterschiedlichen Rebsorten, die zusammen in einem Weingarten angebaut und nach der Lese auch gemeinsam gekeltert und vergoren werden.

Hefe Winzige und äußerst vielfältige Pilze, durch die Fruchtzucker in *Alkohol* umgewandelt wird. Die Hefeflora in der Atmosphäre einer Kellerei oder eines Weingartens kann eine Spontangärung (auch wilde Gärung) in Gang setzen. Es heißt, die dadurch entstehenden Weine haben einen unverwechselbaren Eigengeschmack. Dafür ist jedoch das Resultat unvorhersehbar, während die Verwendung von Reinzuchthefen, die nach bestimmten Kriterien ausgewählt werden, weniger Risiken birgt.

Horizontale (Verkostung) oder **Horizontalprobe** Verkostung von jahrgangsgleichen Weinen verschiedener Lagen oder Erzeuger.

Jahrgang Önologischer Begriff für das Jahr, in dem die Beeren für einen Wein geerntet wurden, im Gegensatz zu *jahrgangslosen*

Weinen, die ein Verschnitt aus mehreren Jahrgängen sein können. Auf der Nordhalbkugel, wo die Lese üblicherweise im September oder Oktober stattfindet, ist der Wein ein Produkt des Anbaujahres. Auf der Südhalbkugel dagegen erstreckt sich der Jahrgang auch auf das vorangegangene Kalenderjahr, da die Trauben im Februar oder März geerntet werden.

jahrgangslos a) Bezeichung für einen Wein, der nicht aus dem Lesegut eines einzigen Jahrgangs bereitet, sondern aus Trauben verschiedener Jahrgänge verschnitten wurde. Dies trifft auf über 90 Prozent aller verkauften Champagner zu. b) Ein billiger Wein, bei dem auf dem Etikett kein Jahrgang angegeben ist, damit er für mehrere Jahrgänge und Verschnitte verwendet werden kann.

klassifiziertes Gewächs 1855 wurde für die Weltausstellung in Paris von Weinhändlern in Bordeaux eine fünfstufige Klassifikation der damals sechzig führenden Weingüter (*Crus*) eingeführt, angefangen bei den Premiers Crus, die als die besten galten, über Deuxièmes, Troisièmes und Quatrièmes bis zu den Cinquièmes Crus. Man orientierte sich dabei im Wesentlichen an den damaligen Verkaufspreisen – und ob Sie es glauben oder nicht: Dieses System existiert noch heute.

Klon Genetisch identischer Nachkomme einer Elternpflanze. Durch klonale Selektion können Weinstöcke im Laufe der Zeit bestimmte Eigenschaften (Krankheitsresistenz, Farbe oder *Ertrag*) ausbilden, die sich geringfügig von denen der Elternpflanze unterscheiden. Vergleiche *massale Selektion*.

Kohlendioxid häufig auch als **Kohlensäure** bezeichnetes Gas, das bei der *Gärung* entsteht. *Schaumweine* enthalten gelöstes Kohlendioxid.

Kohlensäuremaischung Önologisches Verfahren zur Herstellung von besonders fruchtigen Weinen mit geringem Tanningehalt, bei dem die ganzen Beeren in einem versiegelten Tank vergoren werden. Diese Methode kam häufig in Beaujolais sowie im Languedoc-Roussillon zur Anwendung, insbesondere bei der Verarbeitung der ausgesprochen herben Carignan-Traube.

massale Selektion Pflanzen derselben Rebsorte, jedoch mit unterschiedlichen Eigenschaften.

mis(e) en bouteille au domaine/château Das französische Pendant zur Erzeugerabfüllung – ein Qualitätsmerkmal.

Most Das breiige Zwischenstadium zwischen Traubensaft und Wein; kann Schalen, Kerne und Teile der Rispen enthalten.

N.M. (négociant-manipulant) Von einem Champagnerproduzenten, der in erheblichem Umfang Traubenmaterial zukauft, bereitet und vermarktet.

Naturwein Ein trendiger Wein, der möglichst ohne Zusätze produziert wurde, siehe Seite 78.

Oranger Wein Weißwein, bei dem die Beeren wie beim Rotwein mit der Schale vergoren wurden, was ihm eine dunklere Farbe verleiht. Der Geschmack ist recht adstringierend.

petit château Eines der kleineren, weniger glamourösen Weingüter, wie es sie in Bordeaux zu Hunderten gibt.

R.M. (récoltant-manipulant) Von einem kleinen Winzer, der das eigene Traubenmaterial selbst ausbaut, selbst hergestellter Champagner.

Rebsorte Im Normalfall handelt es sich um Unterarten der europäischen Weinrebenart *Vitis vinifera*.

Säure, **Säuregehalt** Wichtiger Bestandteil eines Getränks, der für geschmackliche Frische sorgt und schädliche Bakterien in Schach hält. Siehe »Wie man einen Wein verkostet«, Seite 34, und »Die richtige Weinansprache«, Seite 36.

Schaumwein/Sekt Bezeichnung für alle kohlensäurehaltigen Weine außer Champagner.

sortenrein, auch **reinsortig** Ein Wein, der aus einer einzigen Rebsorte hergestellt wurde.

Stillwein Wein, der keine Kohlensäure enthält.

TCA Trichoroanisol, die häufigste Ursache für den sogenannten Korkschmecker, einen muffigen Geruch des Weins (siehe Seite 53).

traditionelle Methode Das vielerorts kopierte klassische Verfahren der Champagnerzubereitung.

varietal a) In der Neuen Welt gebräuchlicher Begriff für einen Wein, der unter dem Namen der Rebsorte verkauft wird, abgeleitet vom Begriff »variety«, also Rebsorte; b) **reinsortig** oder **sortenrein**, also ein Wein, der aus einer einzigen Rebsorte bereitet wurde.

Vertikale (Verkostung) oder **Vertikalprobe** Verkostung von verschiedenen Jahrgängen ein- und desselben Weins bzw. der Weine eines einzigen Weingutes.

Vitis vinifera Jene europäische Weinrebenart, von der heutzutage fast alle Weine hergestellt werden. Wie bei allen Pflanzen gibt es auch hier viele Unterarten. Die vor allem in den USA am weitesten verbreitete und von der Vitis vinifera abstammende Rebsorte Concord zeichnet sich wie die meisten amerikanischen Sorten durch einen unverkennbaren Geschmack aus. Aus ihr wird das Gros der amerikanischen Traubensäfte und Traubengelees produziert.

Zusatzstoffe Den meisten Weinen wird etwas Schwefel hinzugefügt; industriell hergestellte Massenweine können zudem
eine ganze Reihe weiterer chemischer Zusätze enthalten, darunter Nährstoffe für Hefen, Säuren, Tannine und Konservie-
rungsstoffe. Meiner Meinung nach ist es höchste Zeit für eine
genaue Auflistung aller Inhaltstoffe.

Wenn Sie mehr wissen wollen

Hier einige Lesetipps für alle, die ihre Kenntnisse rund um das Thema Wein weiter vertiefen wollen:

JancisRobinson.com
Wird täglich aktualisiert und bietet weit über 100.000 Verkostungsnotizen sowie mehr als 10.000 Artikel, von denen etwa ein Drittel frei zugänglich sind (in englischer Sprache).

Der Weinatlas.
hrsg. von Hugh Johnson und Jancis Robinson, 3. Auflage, Hallwag (2014).
Die Welt des Weins, zusammen mit Hugh Johnson herausgegebene, detailreiche Darstellung samt Erläuterungen, Flaschenetiketten und dergleichen mehr.

Das Oxford® Weinlexikon.
von Jancis Robinson, 3. Auflage, Hallwag (2007).
Das ultimative Nachschlagewerk mit über 3.900 Einträgen von A bis Z. Fundierte Informationen zu allen Weinregionen der Welt, zur Geschichte des Weins, zu Weinbau und Weinbereitung, zu Rebsorten, Weinkonsum, Weinliteratur und vielen weiteren Themen.

Wine Grapes: A Complete Guide to 1,368 Vine Varieties Including Their Origin and Flavours
von Jancis Robinson, Julia Harding und Jose Vouillamoz, Allen Lane (2012).
Alles, was man über die Traubensorten, aus denen Wein hergestellt wird, wissen muss; illustriert und im Schuber.
Weitere Informationen unter www.winegrapes.org.

Mastering Wine – Jancis Robinson's Shortcuts to Success
Englischsprachiger Video-Weinkurs. Online verfügbar unter www.udemy.com/mastering-wine-jancis-robinsons-shortcuts-to-success/

Weitere Informationen zu diesem Buch sowie explizite Weinempfehlungen finden Sie außerdem auf www.24hourwineexpert.com